Maryse Condé

Avec sa façon très personnelle de faire chanter les mots, avec son pouvoir de donner vie aux êtres, Maryse Condé raconte la bouleversante déréliction d'une communauté d'hommes et de femmes revenus à l'adoration des divinités d'autrefois. Rompant avec l'inspiration africaine de son grand succès Ségou, elle aborde une autre terre de littérature, l'Amérique du Sud, où elle fait entendre ce besoin d'un Dieu que la fin des idéologies rend plus aigu et que les religions officielles ne satisfont plus. C'est le désarroi spirituel de notre époque qu'elle consigne dans ce roman à l'écriture savoureuse, peuplé de figures émouvantes, où l'amour semble la seule réponse à toutes les utopies, à tous les fanatismes.

Maryse Condé est née en Guadeloupe. Elle a vécu en Guinée, au Sénégal, en Côte-d'Ivoire, mais c'est à Ségou, au Mali, qu'elle a retrouvé ses racines. Les deux volumes de son best-seller *Ségou* ont rencontré un public considérable de 280 000 lecteurs. Elle est aussi l'auteur de *Moi, Tituba, sorcière* (grand prix littéraire de la Femme 1986) et de *La vie scélérate* (prix Anaïs Nin de l'Académie française 1988). En 1993, elle a été la première femme à recevoir, pour l'ensemble de son œuvre, le prix Puterbaugh décerné aux États-Unis à un écrivain de langues française et espagnole. Elle enseigne actuellement à l'université de Virginie.

LA COLONIE DU NOUVEAU MONDE

MARYSE CONDÉ

La colonie du nouveau monde

ROMAN

ROBERT LAFFONT

Tu es loin, mais Tes rayons sont sur la Terre
Tu es sur le visage des hommes, mais
Ta marche n'est pas visible...

Le Grand Hymne à Aton
gravé sur les parois de la tombe d'Aÿ
(Tell el-Amarna, Égypte)

When one dreams, one dreams alone.
When one writes a book, one is alone.

Wilson Harris

1

L'écharde pointue du soleil transperça l'écale de la paupière, tournoya sur elle-même et se vrilla dans le fin fond du globe en faisant jaillir sur son passage une gerbe d'étoiles qui éclairèrent le noir des alentours.

Elle ouvrit les yeux sur la lumière du grand jour. Le ciel était bleu vif sans la blancheur poudreuse d'un seul petit nuage. Les rayons de midi tombant à la verticale pétrifiaient le paysage. Éblouie par tout cet éclat, elle ne sut plus pendant un moment qui elle était. Tanya Marie Fernande, baptisée deux mois après la mort de son père des prénoms qu'il lui avait choisis avant de basculer dans l'invisible ? Ou Tiyi, comme l'avait décidé Aton après s'être rebaptisé lui-même en rejetant comme une peau trop étroite ce prénom de Bienvenu que sa mère lui avait légué pour braver le destin ?

Et puis, où se trouvait-elle ?

Elle était étendue à même la terre aussi sèche qu'en temps de carême, sous la ramure d'un bananier incliné de côté par le poids de son régime. En se redressant, elle aperçut le trait gros bleu de l'horizon cernant la mer et, plus près, les cactus cierges et la broussaille des halliers, dure et piquante comme de mauvais cheveux. Derrière elle, elle entendit les rires des enfants. Alors la conscience lui revint. Elle était Tiyi, mère des princesses Néfertiti et Méritaton, enceinte d'un nouvel enfant du Soleil Aton. Un an plus tôt, venant de la Guadeloupe en passant par le Venezuela, elle avait atterri dans la petite ville de Santa Marta sur la côte caraïbe de la Colombie avec Aton et les deux petites princesses, plus Mandjet et Mesketet – de leur vrai nom Francesca et Frantz – les seuls fidèles qui restaient de leurs disciples-serviteurs, un temps fort nombreux, aussi nombreux que les grains de sable du bord de mer. Depuis, elle attendait les moyens de reprendre la route.

Enrique Sabogal, le conseiller municipal, grand ami de l'écrivain José Rosario, lui-même grand ami de l'écrivain guadeloupéen Henri Gabrillot, avait fait ce qu'il avait pu. Sur sa demande, la municipalité avait trouvé un abri pour les arrivants. Elle avait mis à leur disposition une maison située dans le vieux quartier de La Ceja. Elle l'avait rachetée l'année d'avant à un commerçant en faillite dans l'intention d'en faire un « foyer pour jeunes ». Un hectare de terre pour le moment en friche pouvait, une fois débroussaillé, être planté de produits locaux. Malheureusement, Aton ne s'était jamais donné la peine d'apprendre à sarcler ni à bêcher. Seuls Mandjet et Mesketet, suant sous le soleil, arrachaient aux saisons des plantains, des patates douces, du maïs, des okras, des tomates, du giraumon, de quoi ne pas mourir de faim. Car la pension en pesos promise par Enrique n'avait pas été versée. De même, les fonds annoncés par la congrégation des fidèles de la Caraïbe n'étaient pas arrivés. En plus, le bateau qui devait cingler avec sa cargaison d'élus vers la Terre promise d'Égypte n'avait pas pris la mer.

A ce moment où la conscience de soi lui revenait avec la sensation de lourdeur dans son bas-ventre, Tiyi vit sa vie étalée devant elle : une phrase griffonnée, raturée, qu'elle n'arrivait pas elle-même à relire, terminée par un gigantesque point d'interrogation. Elle se releva tout à fait, épousseta les grains de terre accrochés au pagne fait de cette toile brune qu'Aton tissait lui-même et qu'elle portait sous un caraco qui s'arrêtait juste au-dessus de sa taille. Elle se sentait laide à pleurer avec son corps déformé, sa figure creusée des creux du souci et de l'usure de la vie, sa tignasse pas peignée tombant jusqu'au milieu de son dos en lourdes mèches rougeâtres, pareilles à ces touffes de feuilles de tabac que triturent les cigarières de Cuba.

Assis sous la bâche bleue qu'il avait fait suspendre aux branches des manguiers, Aton s'entretenait avec un jeune couple d'Allemands, arrivés l'avant-veille pour boire très respectueusement l'hydromel de Sa Sagesse. Il tenait encore bien la pose : tête légèrement penchée sur le côté, tirée en arrière par le poids de sa chevelure, regard inspiré, dos bien droit, gestes majestueux. Cependant, elle le connaissait assez, depuis maintenant plus de quinze ans, pour percevoir sa lassitude.

Il était fatigué à mourir. D'une certaine façon, il appartenait déjà à la mort. Son corps portait sa marque. Une maigreur squelettique. Un thorax creux et des pectoraux pierreux entre lesquels poussaient de rares poils gris. La nuit, quand il s'allongeait contre elle, elle frissonnait.

Arrivée à hauteur de la bâche, malgré son état, elle esquissa la génuflexion rituelle due au Soleil. Il y répondit en se levant presque d'un bond et en inclinant la tête jusqu'à ses mains jointes contre sa poitrine, tandis que les deux Allemands se levaient en vitesse eux aussi, puis restaient debout, gauches et la figure rougie de chaleur, à la regarder. A quelques mètres de ce petit

11

groupe, Mandjet et Mesketet ne la virent même pas. Dos cassé, ils fouillaient le ventre en sang de la terre et en retiraient des patates douces dont ils emplissaient un panier. Oui, la terre de cette région de Magdelena donnait tout ce qu'on lui demandait. Avec un peu d'aide, quelques outils, on aurait pu porter un important surplus au marché si Aton ne s'était pas opposé à tout ce qui ressemblait à du commerce. On ne devait rien vendre. On ne devait rien acheter.

S'appuyant à la rampe, Tiyi monta lourdement les marches du perron, ôta ses sandales de cuir de bœuf retenues autour des chevilles par des cordelettes de carata (puisqu'on ne devait pas entrer chaussé à l'intérieur de la maison), puis poussa la porte de la chambre. Derrière ses persiennes toujours baissées, on prenait un grand bain de fraîcheur. C'était la seule grâce de cette pièce, car son inconfort était total. Sur une des cloisons, un disque du Soleil était peint, pareil à un œil grand ouvert, fixe et étincelant. Par terre, sous une moustiquaire, un matelas était recouvert d'une étoffe qu'Aton avait teinte en jaune soufre, la couleur divine. Une petite pile de pagnes et de caracos, tous taillés dans la même toile brune, des sandales, des calebasses coupées en deux de grandeur différente, contenant les colliers de graines sauvages que les enfants enfilaient pour la beauté de leur mère, formaient le reste de l'ameublement. Tiyi s'allongea sur le matelas. Elle dénoua son pagne et promena lentement les mains sur la montagne de chair qui l'oppressait. Elle aurait aimé supplier cet enfant à naître de lui pardonner. En quel moment Aton et elle lui avaient-ils donné la vie ? Sur quel monde lui ouvraient-ils les yeux ? Des parents parias échoués en pays étranger. Des rêves enlisés. L'avenir aussi désolé qu'un mur de prison. Jour après jour,

Aton avait beau s'efforcer de décrire à Néfertiti et à Méritaton les merveilles de la terre d'Égypte à laquelle ils allaient bientôt aborder, ses paroles sonnaient le faux et le creux. Tiyi le savait : tout ce qu'il désirait dans le secret de son cœur, c'était sa place de paix dans un cimetière perdu au fin fond d'un bourg ou d'une commune. Rien. Même pas quelques mots simples sur sa tombe :

Ci-gît Jean-Bienvenu Dormans,
Être renouvelé d'Aton, dieu du Soleil,
Retourné à l'espace.

S'il s'obstinait à poursuivre et à répéter des paroles d'espoir, c'était à cause d'elle. De son regard sur lui. Il ne voyait pas qu'elle était aussi lasse que lui, se traînant sans force ni foi à ses côtés. Après les premières années d'aveuglement, quand le bon sens lui était revenu, elle avait souhaité qu'il la répudie! Elle n'était que l'épouse du Soleil, une mortelle illuminée par son éclat. Sur une parole de lui elle pourrait retourner à l'obscurité qui était son lot. Prendre par la main ses filles qui n'étaient que des filles et retrouver la monotonie de l'existence. Avec un sentiment de libération, elle se voyait déjà mère célibataire dans Paris, fréquentant les bureaux des Assedic et les assistantes sociales. Sur les conseils de celles-ci, elle envoyait ses fillettes à Alexis, sa maman, qui à ce moment-là vivait encore en Guadeloupe. Et puis, elle reprenait son existence d'avant Aton, pleine d'hommes sans sentiment, de plaisirs du corps et de chagrins du cœur. Elle reprenait son ancien métier de comédienne et recommençait à courir le cachet sans trop de succès. Elle n'avait jamais réussi qu'à prêter sa voix aux actrices noires américaines ou brésiliennes. Jadis, elle avait doublé Rénalda Pereira dans *Xaxa de Souza*, film qui avait connu un grand succès de scandale, car Rénalda s'y masturbait publiquement.

Un beau matin, la vérité l'avait aveuglée. Ces idées de départ n'étaient que des rêves. Des chimères. Pour elle, il n'y avait pas d'existence sans Aton. Est-ce que c'était l'amour qui la tenait à lui ? La haine qui amarre plus serré encore ? La pitié ? Ou bien ce sentiment du devoir qui pèse de tout son poids sur les femmes de Guadeloupe ? C'était à cause de ce sentiment-là que sa maman, Alexis, restée veuve en plein mitan de sa jeunesse, avait passé le restant de son existence sans jamais jeter un coup d'œil sur un homme alors même qu'elle avait été au courant de chaque tromperie du défunt.

Amour, haine, pitié ? Toujours est-il qu'elle se trouvait aussi liée à Aton que l'ananas-bois à l'aisselle du gommier blanc, que le parasite au tronc du manguier.

Elle ferma les yeux et, comme à chaque fois qu'elle allait prendre sommeil, l'image de sa mère revint tourner et tournoyer sur le noir de ses paupières. A chaque fois, elle se la représentait dans sa peine et son remords. Les sœurs et les tantes avaient entouré ses doigts torturés par la vieillesse d'un chapelet de première communiante en argent, c'est-à-dire du même métal que les deux alliances qui, se chevauchant, étaient entrées au plus profond des chairs de son auriculaire gauche. Elles avaient poudré les joues creuses pour redonner un peu de vie à ce visage de morte. Elles avaient lissé les cheveux qui restaient fournis malgré l'âge. Puisque sa fille, adulte, lui avait refusé un dernier baiser, elles avaient accroché sur sa poitrine, juste à la place du cœur, un gros médaillon contenant une photo de celle qui n'était encore que la petite Tanya. Pas encore la compagne d'un fou qui se prenait pour le Soleil et prenait le Soleil pour un dieu. Mais qu'est-ce qu'Alexis avait fait au Seigneur Jésus pour gagner son enfer sur la Terre ?

Contrairement à ce qui avait été écrit dans un article du *Progrès social*, feuille de chou que dirigeaient héréditairement des ennemis de la famille, ce n'était pas Aton qui s'était opposé à ce que Tiyi assiste à la veillée et aux funérailles de sa maman. Tiyi ne lui avait même pas parlé de sa maladie et de sa fin, car elle savait que le souvenir des liens qui unissent les humains s'était complètement effacé de sa tête. Non ! C'était d'elle-même qu'était venue la décision ! Elle n'avait plus rien de commun avec sa famille, les Lameynard, famille bourgeoise très fière de son nom, hérité d'un béké qui, en 1848, avait doté ses bâtards et libéré ses esclaves d'un même trait de plume en pleurant à chaudes larmes. Elle ne voulait plus en entendre parler. Seulement voilà ! Peu à peu, comme à son habitude, le temps avait fait la toilette du souvenir et elle en était venue à oublier ce qu'elle reprochait aux siens. Son enfance et son adolescence lui revenaient en mémoire comme un paradis perdu. Était-ce bien vrai qu'elle avait été ce qu'elle avait été ? Un long moment, l'image de sa mère flotta contre ses paupières, puis chavira dans les grandes profondeurs du sommeil.

Aton regarda passer Tiyi. Il répondit à sa génuflexion rituelle ainsi qu'il le devait, songeant comme elle était belle dans la grossesse non souhaitée de son âge mûr. Il songeait ainsi sans désir, car il ne la désirait plus, comme il ne désirait plus rien de rien. Il était prêt à déposer le fardeau de l'existence.

Quand Tiyi eut disparu à l'intérieur de la maison, il

15

se rassit sur le tabouret royal sculpté par ses soins dans un tronc d'acajou du Honduras, charge précieuse qu'il avait transportée dans le cargo qui les conduisait du port de La Pointe au port de Caracas, puis dans la série d'autobus brinquebalant le long de routes de forêts et de montagnes jusqu'à leur destination finale. Tout au long de ce trajet, les gens les avaient regardés avec beaucoup de curiosité. Même les Indiens, qui sortaient de leur morosité pour tourner vers eux des regards obliques. A Pueblo Bello, village perché comme un nid de malfinis, un enfant avait eu peur d'eux et s'était agrippé de toute sa terreur à la longue jupe de sa mère. A Aracataca, une femme s'était prosternée devant lui, implorant sa bénédiction. Au début de leur séjour à Santa Marta, à cause de toute cette publicité qu'on leur avait faite dans les journaux, les gens de la ville faisaient un détour par le quartier La Ceja pour les épier à travers les barreaux de la grille. Après quelques semaines, un mauvais plaisant y avait accroché par dérision un écriteau : « *La colonia del nuevo mundo* », « La colonie du nouveau monde ».

Le nom était resté.

Les femmes, quant à elles, ne se moquaient pas. Elles hochaient la tête avec tristesse en regardant Néfertiti et Méritaton vêtues en tout et pour tout d'un cache-sexe de toile brune, les cheveux emmêlés et roussis par le grand soleil, jouer comme tous les enfants ou suivre sagement les leçons que leur donnait Tiyi sur la galerie. Sur ce dernier point, Aton avait été en désagrément avec Tiyi. Il pensait que ses récits à lui suffisaient. Il ne voulait pas que ses enfants apprennent à lire et à écrire, et renouent de cette façon avec la société que leurs parents avaient rejetée. Tiyi, elle, était d'un autre avis et, comme toujours, elle l'avait emporté. Elle

16

avait composé à l'intention des deux fillettes une méthode d'apprentissage de la lecture et de l'écriture. Peu à peu, en plus de cela, elle avait introduit dans ses leçons du calcul, de la géographie, du dessin. A présent, Méritaton, qui semblait avoir reçu en héritage le tempérament artiste des Lameynard, peignait sur des feuilles sèches de bananier, avec des teintures végétales qu'elle fabriquait elle-même, des constellations de globes solaires entourés de rayons rigides comme des baguettes de tambour.

Plongé dans ses pensées, Aton se rassit, tandis que les jeunes Allemands hésitaient à en faire autant et restaient comme deux piquets devant lui. Il finit par s'en apercevoir et, d'un geste, il leur signifia de l'imiter.

Ute, la fille, avait une assez jolie figure niaise sous des cheveux filasse qui s'essayaient tant bien que mal à des *dreadlocks* *. Ses yeux bleus à fleur de tête débordaient de curiosité.

A cause de leur chevelure et de leur accoutrement, les gens confondaient Aton, Tiyi et leurs adeptes avec une colonie de rastas. Rien de commun en réalité. Aton n'avait que faire d'Hailé Sélassié, de Bob Marley et de l'Éthiopie. Sa croyance remontait au temps des origines quand, dans un marécage informe et gluant, peu à peu, le Soleil avait fait apparaître la Vie. Tout d'abord, Il avait concentré le bienfait de Ses rayons sur un limon fertile, entre mer Méditerranée et mer Rouge. Là, Il avait créé une espèce par une espèce, les plantes, les bêtes, les hommes. Au début, ces derniers, reconnaissants, avaient bâti des villes en Son honneur. De leurs mains, sans outils, ils avaient dressé des obélisques de granit rouge taillés dans un seul bloc, des pyramides et des temples aux cent portes pour Lui rendre hommage.

---

* Coiffure des rastas.

Hélas! au fil des millénaires, ils avaient changé! Ils avaient découvert l'argent. Ils avaient appris tous les vices d'une technique qui avait desséché leurs cœurs. En fin de compte, ils s'étaient écartés des chemins de la vraie vie. Alors Aton avait été envoyé sur terre pour les ramener dans l'adoration de leur Créateur. Son message ne s'adressait pas seulement au Noirs, mais aussi aux Blancs, aux Bruns et même aux Jaunes qui habitent de l'autre côté de la planète, car ils sont issus du même limon que les autres hommes.

Pendant un moment, tout tournoya à l'intérieur de la tête d'Aton. Vide. Obscurité. C'était la même chose à chaque fois qu'il essayait de se rappeler le moment de sa Révélation. On s'imagine que ces choses-là arrivent dans la tempête et le tourbillon. Pas du tout! Elles se faufilent, insidieuses comme un coup de mal d'amour! Un triste matin de novembre, il descendait le boulevard Saint-Michel, préoccupé par les mauvaises paroles d'un professeur qui lui reprochait ses continuelles absences. Ce n'était pas de sa faute s'il était toujours malade. Des maux de tête. Des migraines. Parfois à ne pas pouvoir se tenir mieux debout qu'un sac vide! Brusquement, le Soleil qui, onze heures du matin ou pas, était resté caché derrière la couverture noire des nuages, s'était détaché du ciel et, posant son disque sans l'éblouir à la hauteur de sa figure, était venu s'entretenir avec lui. Son discours de ce jour-là, bien que plus définitif et plus autoritaire qu'à l'habitude, ne l'avait pas surpris. Le Soleil lui avait déjà soufflé plus d'une parole. Tout petit, à travers ses caresses et ses murmures, Aton savait qu'Il l'avait choisi pour un destin particulier.

Bâtard d'un négociant en vins du port, Aton, qui n'était encore que Jean-Bienvenu, avait quatre ans quand Morena, sa mère, avait trouvé un homme pour la relever et l'épouser à l'église : Roberto Frenoy, un employé de la Caisse coopérative qui prêtait de l'argent à faible taux aux fonctionnaires. Hélas! son enviable bien-être n'avait pas duré longtemps. Après cinq ans de vie conjugale et la naissance de quatre garçons, Roberto avait été pris la main dans le sac et convaincu de faux en écritures. Il avait connu la geôle, vendu sa voiture Peugeot qui faisait l'admiration des voisins et le terrain qu'il venait d'acheter à Saint-Félix en bordure de mer. A sa sortie de la maison d'arrêt de La Pointe, sa honte et sa frustration s'étaient retournées contre son beau-fils dont les yeux de presque douze ans le jugeaient, prétendait-il. L'enfant devenu son souffre-douleur ne souffrit pourtant pas. Sous les coups, les mauvais traitements et les mauvaises paroles, il sentait son cœur habité d'une force étrange. Il méprisait cet homme qui pour quelques objets matériels était entré à la geôle et avait couvert de boue sa Petite Mère adorée. Car dans le quartier, les gens lui avaient retiré le bonjour et lui jetaient des paroles coupantes comme des roches. Quand son beau-père avait fini de le torturer, Jean-Bienvenu se réfugiait dans le morceau de cour derrière la maison. Il fixait le Soleil dans le ciel, en sentant Ses rayons pénétrer dans chaque parcelle de son être pour lui insuffler le remède de l'espoir. Un jour, oui, un jour, Sa gloire l'inonderait et tous seraient témoins.

Gloire ?

C'est certain, aux Antilles, en Europe, en Amérique du Nord comme du Sud, des quantités de journalistes en mal de récits peu ordinaires, bons à tourner la tête des naïfs, avaient noirci des pages et des pages à son sujet. Une équipe de télévision d'Aix-Marseille avait même vécu sept jours entiers avec lui, buvant ses paroles, filmant les enfants et Tiyi. Cela s'était passé dans le temps qu'il vivait à la Guadeloupe, au milieu des bois, dans les hauteurs de Matalpas... Et son histoire avait allumé des espoirs et des rêves.

Et il avait eu des disciples un peu partout à travers le monde. A Hammarfest, en Suède, des fidèles s'étaient retirés loin, loin de toute habitation, vivant l'hiver emmitouflés dans des peaux de rennes et complètement nus en été, jusqu'à ce que la police vienne les arrêter comme des bandits. En dépit de son renom, les quatorze dernières années ne lui avaient pas été douces. Il regarda ses deux pieds enserrés dans leurs sandales de cuir, pareils à deux ignames de la récolte passée. Pieds énormes et informes. Ongles cassés. Orteils bourgeonnants. Talons et plante fendus de crevasses aux parois grisâtres. Ces pieds pachydermes terminaient deux jambes sèches recouvertes d'une peau craquelée, boursouflée par les os des genoux. Les bras, le torse n'avaient pas meilleure allure. Quant à la figure! Émaciée, les joues couvertes d'une barbe roussie comme les cheveux, peu fournie, mais longue, longue, s'étirant jusqu'à son nombril. A la pensée de sa décrépitude, l'eau tiède de l'apitoiement emplit ses yeux.

La jeune Allemande le fixait. Et ce regard curieux, insistant, faisait naître en lui une violente excitation qui n'atteignait pas pourtant la colonne molle de son sexe. Par contre sa bouche se mit à psalmodier avec une force nouvelle les paroles simples (les sceptiques disaient « simplistes ») qui avaient néanmoins remué des cœurs d'hommes et de femmes d'un bout à l'autre de la planète Terre:

« Les humains se sont détournés de leur Créateur dont la partie visible est le Globe solaire. Il faut à présent qu'ils abandonnent les vaines idoles que leur cupidité a bâties et qu'ils se remettent à L'adorer, Lui, qui seul en entretient la vie universelle et dont tout dépend. »

2

Méritaton approcha sa figure de celle de Néfertiti pour lui raconter sa dernière bonne blague. Mais celle-ci, ayant changé d'humeur, la repoussa de toutes ses forces. Du coup, Méritaton faillit se mettre à pleurer.

Néfertiti eut un peu honte de sa sauvagerie. Quand même, Méritaton l'agaçait avec ses jeux sans fin. On aurait dit qu'elle ne voyait ni ne comprenait rien à ce qui se passait autour d'elle. Néfertiti avait douze ans et demi. C'est dire qu'elle abordait ce temps difficile où les seins poussent à la poitrine et où les fesses s'alourdissent de coussinets de chair. Elle n'était plus une enfant tout juste faite pour être dorlotée par sa maman. Quelques mois plus tôt, un filet rouge avait ruisselé le long de ses cuisses. Alors, Tiyi s'était lancée dans une interminable explication sans se rendre compte de son caractère risible et déplacé. Car en vérité, à la colonie du nouveau monde, qui se souciait de la fleur de virginité de Néfertiti ? Qui se souciait d'user d'elle pour la jouissance ? Les seuls hommes que ses yeux voyaient étaient d'une part son père, vieux-corps avant l'heure dont elle se demandait comment il avait pu faire un nouvel enfant à sa mère ; de l'autre, Mesketet, servile comme un esclave qui ne l'approchait que plié en deux et les yeux baissés. C'était tout. Tout ? Il y avait les nouveaux venus.

Son regard se posa sur le groupe que formaient Aton et les deux Allemands arrivés l'avant-veille.

Ce n'était pas la première fois qu'Aton recevait la visite de ses disciples. Une fois, des Américains étaient sortis de San Francisco. Une autre fois, des Canadiens d'Ottawa avec leurs cinq enfants. Mais ces gens-là n'avaient fait que demeurer quelques jours avec eux, les yeux dans les yeux d'Aton, comblés par sa présence et ses paroles, et puis ils s'en étaient allés. Les Allemands, c'était différent. Tiyi avait informé les enfants qu'ils voulaient s'établir avec eux et consacrer le restant de leur existence à la dévotion d'Aton. Pour l'heure, ils étaient descendus au Familiar, un des plus misérables hôtels de Santa Marta, un vrai nid à moustiques et à cafards, avec, dessinées sur les murs, les arabesques des chiures de mouches, mais ils n'allaient pas tarder à les rejoindre. Néfertiti s'en souvenait encore du Familiar, car la famille y avait vécu de tristes jours avant d'être logée à La Ceja par la municipalité.

Sortir de l'Allemagne, quitter Berlin, pour venir s'enterrer à Santa Marta, à la colonie du nouveau monde !

Berlin ! Néfertiti savait que le buste peint de son aïeule s'y trouvait, offert à l'adulation des foules dans un des plus somptueux musées du monde. Tiyi lui avait raconté comment Aton et elle s'étaient rendus en pèlerinage au Staatliche Museum au cours de leurs dernières années de vie en Europe et l'avaient admiré ainsi que d'autres bustes d'ancêtres, des têtes d'animaux sacrés, des statuettes de scribes, des bijoux d'or, de lapis-lazuli, de cornaline, de turquoise et de feldspath vert. Comme

Aton interdisait toute représentation, à part celle du Globe solaire et de Ses rayons, Néfertiti ne pouvait qu'imaginer ces splendeurs. Elle savait qu'à travers les générations la beauté de sa célèbre aïeule avait passé dans son sang, irriguant toute sa personne. Elle se savait déjà aussi belle que Tiyi. Plus noire, la peau des joues un peu violette, mais les traits aussi fins, les pommettes aussi hautes et la bouche bellement dessinée comme une fleur. Sans ses cheveux en tignasse épaisse comme un matelas, sans l'informe caraco et le pagne qui la fagotait, sa beauté aurait illuminé les alentours. Pourtant, elle en avait la conviction, il suffisait de prendre patience. Un jour, tous ceux qui avaient des oreilles entendraient nommer son nom. Pas comme celui d'Aton, avec dérision ou pitié. Au contraire, avec envie et adoration. Elle quitterait la cage où ses parents l'avaient enfermée. Elle se laverait l'esprit de toutes les bêtises qu'ils lui répétaient depuis l'enfance et elle s'en irait prendre la place qu'elle méritait dans le monde. Oui, elle quitterait la colonie. S'il fallait pour cela marcher sur le ventre de sa mère, elle marcherait.

Pourtant, à cette seule pensée, le cœur lui faisait mal. Elle adorait Tiyi. Jusqu'à ses sept ans, elle n'avait jamais pu dormir que le téton droit de sa mère coincé entre sa langue et son palais tandis que de la main, elle lui pétrissait le sein gauche. Elle atteignait à la béatitude en se serrant contre elle quand elles se baignaient toutes nues dans l'eau du Bassin Bleu du temps qu'elles vivaient à Matalpas. Aujourd'hui encore, à son âge, tandis qu'Aton se livrait à d'interminables dévotions jusque dans la noirceur de minuit, elle se glissait à sa place à côté de sa mère. Alors, dans sa chaleur et son odeur, elle croyait retrouver le goût du temps d'avant la naissance. Tiyi lui était aussi nécessaire que ses bouillies de racines du matin et du soir. Elle rêvait de la parer aussi richement que la chambre funéraire de Toutankhamon quand elle apparut à Carter, de ramener le sourire sur sa bouche cadenassée par la tristesse. En même temps, cela ne l'empêchait pas de connaître une grande curiosité du corps et d'éprouver ses premiers désirs. C'est ainsi qu'un soir sa main avait trouvé le chemin de son sexe et n'avait pu le quitter. En songeant à ces contradictions, elle se mit à pleurer apparemment sans raison, et Méritaton, une fois de plus, renonça à la comprendre.

Les Allemands avaient fini de s'entretenir avec Aton. Ils remontaient l'allée, lents, absorbés, le garçon marchant devant la fille, la sueur faisant briller leurs peaux à tous les deux. Malgré leurs airs gauches et leur accoutrement, ils n'étaient laids ni l'un ni l'autre. On devinait même que, sous d'autres cieux, ils devaient faire leur petit effet. Qu'ils n'avaient pas dû manquer de propositions amoureuses et même d'aventures sexuelles.

A la vue de Néfertiti et Méritaton, la jeune fille accrocha à ses lèvres ce sourire sans signification que l'on réserve aux enfants. Néfertiti paria qu'elle allait leur offrir des bonbons. Et elle ne se trompait pas. La jeune fille ouvrit le sac de toile mauve qu'elle portait à l'épaule, le vida de son contenu : deux guides touristiques, l'un de la Guadeloupe, l'autre de la Colombie, une méthode Assimil allemand-français en aussi mauvais état que les guides, une boîte de Tampax, une bourse en métal argenté, un portefeuille, un passeport et enfin un paquet de caramels à moitié fondus par la chaleur.

Néfertiti la toisa :

— Les Filles du Soleil ne mangent pas des choses comme cela !

Tout son sang lui sauta à la figure et elle devint encore plus rouge, de la même couleur que la braise d'un boucan. Le garçon, lui, était fiché en terre. Électrisé. Tétanisé. Ses yeux étaient étirés comme ceux des chats avec la même expression et la même lumière. Il finit par s'approcher tout près de Néfertiti :

– Comment t'appelles-tu ?

Elle laissa tomber, royale :

– Et vous ?

Il en bégaya :

– Moi ? Rudolf...

Sous le mépris de son regard, il recula et resta à se balancer d'avant en arrière, d'arrière en avant jusqu'à ce que la jeune fille, le prenant par la main, l'entraîne. Ses jambes robustes étaient couvertes de duvet blanc comme la tête d'un nouveau-né d'Europe.

Arrivé à la grille, il se retourna et, malgré la distance, son regard brûla Néfertiti comme le feu.

3

Enrique Sabogal était le seul et unique conseiller municipal communiste de Santa Marta et, vu ce qui se passait dans les pays de l'Est, il était mis à la torture par tous ceux qui ne l'aimaient pas. C'est ainsi que son beau-père qui l'avait toujours détesté, l'avocat Serrano, avait fini par persuader sa femme de près de vingt ans, la blonde Ramona, de revenir dans la maison familiale, *calle* 14, à deux pas de la Casa de la Aduana qui abrite le Musée archéologique Tayrona. Ramona lui avait laissé les enfants, ce qui fait qu'en plus de ses responsabilités à la mairie, à la pharmacie, Enrique avait trois garçons sur les bras. Trois bons à rien qui ne faisaient que réclamer leur mère.

C'était un petit homme assez beau, très porté sur le sexe. On ne savait pas exactement combien de sangs coulaient dans son corps. Lui-même se vantait de descendre de Rodrigo de Bastidas, un authentique hidalgo espagnol qui avait fondé la ville en 1525. Peut-être. Mais à ce sang de qualité s'étaient ajoutés ceux des Noirs, des Indiens, des mulâtres, des métis de tous acabits qui bataillaient sur ce bout de côte.

Enrique était ennuyé. Il n'arrivait pas à faire voter au conseil la subvention que José Rosario et lui entendaient voir verser à Aton et Tiyi. Nés la même année dans la même calle, José Rosario et lui se connaissaient depuis l'enfance. Mais tandis que José allait chercher fortune à Bogotá puis, auréolé de son renom d'écrivain, visitait tous les pays de la terre, Enrique n'avait pratiquement jamais quitté Santa Marta. Le monde est ainsi. Certains roulent sur les chemins de l'existence et, tout en roulant, amassent argent et prestige. D'autres ne bougent pas.

Malgré ces différences entre eux, Enrique et José n'oubliaient pas qu'ils avaient été des inséparables. L'idée d'inviter Aton et les siens à Santa Marta leur appartenait à tous les deux. Ils s'étaient dit qu'étant donné la réputation que la drogue et la violence avaient donnée à la Colombie, réputation qui avait fait chuter de soixante-dix pour cent les revenus touristiques de la ville, autrefois fleuron du Magdalena, et qui avait causé le déclin de restaurants comme La Terraza Marina ou d'hôtels comme La Zulia, la présence de ce fou de Dieu d'Aton pouvait se révéler des plus payantes. Enrique, qui était aussi le président du syndicat d'initiative, imaginait déjà les articles que José, grâce à ses nombreuses relations, ne manquerait pas de susciter dans les journaux de la capitale et même dans ceux de toute la Caraïbe. Tout cela pouvait amener à Santa Marta autant de visiteurs que la statue du Señor Caido sculptée par Albarracin à Montserrat.

Pourtant, ces prévisions pleines d'optimisme et de grandeur ne semblaient pas près de se réaliser. A l'heure d'aujourd'hui, tout ce que la présence d'Aton et Tiyi avait suscité, c'était la colère des uns à leur voir attribuer la magnifique propriété de La Ceja, la raillerie des autres. En ville, on n'appelait plus Aton que *El Loco*, le Fou. Enrique était un libre-penseur. Aussi comprenait-il ces réactions. Lui-même n'avait guère été impressionné par les histoires de Soleil-Dieu, d'Égypte-Mère et de retour à la vie naturelle que débitait Aton d'une voix monocorde. José Rosario, qui, lui, les écoutait aussi dévotement que paroles d'Évangile, avait perdu sa peine à lui faire la leçon. « Ces gens-là sont des utopistes. – Mais sans utopie, c'est la mort du monde ! »

Un peu agacé, José avait ajouté que l'incrédulité d'Enrique n'était pas à son honneur : Aton était révéré par plus d'un esprit profond. Des gens du monde entier butinaient son enseignement comme les abeilles le doux miel. Enrique reconnaissait que c'était la vérité. Ainsi pas plus tard que l'avant-veille, à ce qu'on lui avait dit, deux Allemands à peine descendus du 737 de l'Avianca avaient demandé le chemin de La Ceja. Néanmoins, si Enrique avait possédé la redoutable capacité de voir clair en lui-même, il y aurait lu tout autre chose que ce qu'il s'avouait. Aton et ses regards levés vers le Soleil l'avaient laissé dans l'indifférence. Par contre, les grands yeux mourants de Tiyi avaient eu sur lui un tout autre effet. Insidieusement, il s'était mis à charroyer sous sa peau, mêlée à son sang et à ses secrets fluides vitaux, l'envie de cette femme. Il était coutumier de ces passions. Est-ce qu'il n'avait pas adoré huit années en silence la veuve Perdida jusqu'au moment où elle lui était tombée dans les bras ?

Il regarda par la fenêtre de sa maison de l'avenida Campo Serrano. Entre les façades de béton moderne qui peu à peu avait remplacé la pierre noircie par l'âge et le fer forgé datant des temps anciens, la rue grouillait de monde. Des Indiens arhuacos descendus par nécessité de la Sierra avec leur mine à porter en terre leur être le plus cher offraient leurs *mochilas* tissés avec de la laine de brebis. Accroupies dans la poussière, des femmes au teint d'un noir si pur qu'on les aurait crues descendues tout juste d'un vaisseau négrier vendaient à la criée des oranges, des goyaves, des gobelets de jus de canne à sucre ou des gâteaux de patate douce recouverts d'une croûte de sucre. Des gamins aux cheveux de laine ou de soie se déhanchaient sur des bicyclettes trop grandes pour leurs jambes, et, comme à chaque fois qu'il voyait ce spectacle, le souvenir de Nicolás Guillén et de ses vers lui revint. « Couleurs à bas prix », « les tons ont couru », « pas un seul n'est stable. » Il avait considéré ce poète comme l'égal des plus grands et avait passé trois jours à se saouler de deuil quand la nouvelle de sa mort était arrivée de Cuba. A présent, avec la mode de l'anti-communisme, tout le monde le dénigrait.

C'est en 1972 qu'il avait serré la main de Nicolás Guillén. C'était lors d'un hommage à Simón Bolívar qui avait vécu ses derniers jours à Santa Marta et dont les restes avaient reposé dans la cathédrale avant d'être transportés à Caracas, sa ville natale. Les plus éclatants génies du monde latino-américain, tels le Péruvien Teobaldo Vargas et de nombreux écrivains de la Caraïbe, participaient à la cérémonie. Enrique avait alors vingt-sept ans. Son front ne se dégarnissait pas. Au contraire. Il portait une crinière noire comme les plumes d'un merle. Il venait de terminer ses études de pharmacie à l'Université de Bogotá. Il croyait à la révolution, au marxisme et aux lendemains qui chantent. Il avait montré les poèmes qu'il écrivait à Nicolás Guillén et celui-ci l'avait félicité et encouragé à continuer.

A ce moment, Enrique aperçut par la fenêtre la *mulata* Lucrécia à qui il faisait l'amour de temps à autre et il se penchait pour la héler, quand, marchant l'un derrière l'autre, au beau milieu de la rue, il avisa les Allemands arrivés l'avant-veille et dont tout Santa

Marta parlait. Ils avançaient sans se presser, coiffés de leur blondeur incongrue, indifférents aux regards de panique qui se posaient sur eux. Et Enrique sentit que cette panique-là était justifiée. Le malheur avait pris la forme de ces deux-là. Malgré leur jeunesse, malgré leur beauté, le malheur se cachait au fond de leur être. D'une manière que personne ne pouvait encore prévoir, ils signifiaient la destruction et la mort.

Mais est-ce que les Européens n'avaient pas toujours signifié la destruction et la mort? Sur cette côte, ils avaient été particulièrement féroces. Ils avaient exterminé les Indiens, asservi les Africains, saccagé les cultures des uns et des autres. Après leur arrivée, rien n'avait plus été pareil. Et le Nouveau Monde n'avait jamais éclos.

Enrique ferma vivement les deux battants de la fenêtre comme si son geste pouvait barrer la route au mauvais sort. A ce moment, on frappa à la porte. C'était Lucrécia qui l'avait aperçu. Mais il n'avait plus envie d'elle et il la reçut maussadement.

Lucrécia avait son habituel écheveau de nouvelles à dévider. Elle commença par la colonie du nouveau monde sur laquelle, comme tous les habitants de Santa Marta, elle avait les yeux fixés.

– On dit qu'elle va mourir.

– Qui ça?

– La femme du Loco.

Enrique sursauta.

– Le Dr Schultz est certain. Si elle continue à se nourrir comme elle le fait, seulement avec des fruits et des racines bouillies, elle et son enfant mourront.

Enrique n'entendit pas la suite des ragots de Lucrécia. Il tremblait de la tête aux pieds. Une sueur froide de paludéen dégoulinait le long de sa colonne vertébrale, mouillant sa veste de popeline de coton.

Mourir ? Tiyi ?

Déjà, quelques jours auparavant, quand il était venu lui annoncer le nouveau retard de la pension, car on ne devait s'entretenir avec Aton que des choses de la religion, jamais d'argent, il avait été douloureusement frappé par les cernes démesurés à l'entour de ses yeux, leur expression désespérée et l'épuisement tellement visible de toute sa personne.

Mourir ? Jamais de la vie!

Schultz était son ami, il ne lui cacherait rien. Et s'il y avait des mesures à prendre concernant Tiyi, il les prendrait. Sans plus écouter les cancans de Lucrécia, il descendit quatre à quatre l'escalier et sortit pour se rendre à La Real Parrilla sur l'avenue du front de mer où, en cette fin d'après-midi, Schultz devait siroter sa première bière glacée.

Enrique ne pouvait plus circuler à pied dans la ville sans se faire accoster par des dizaines d'anticommunistes qui lui demandaient des explications sur tout : la chute du mur de Berlin, les famines en Russie, l'émigration des Albanais et les menaces de guerre civile partout à l'Est. Aussi pour le plus petit trajet, il prenait la BMW qu'il avait achetée avec l'idée de faire plaisir à Ramona. Elle était restée une fille de bourgeois, née dans le confort, et elle avait grandi dans le mépris des gens à peau plus foncée que la sienne.

Seigneur! Si seulement la mort ne cavalait pas par les avenues et les carrefours! Si l'on pouvait sortir vivant de ce monde, l'existence serait tout de même plus supportable!

Comme il atteignait l'angle de la calle 15, il aperçut son propre fils, son aîné Fernando, bras dessus, bras dessous avec sa petite amie Isabel. La veille, Fernando, qui venait d'avoir dix-sept ans, lui avait annoncé avec la plus grande détermination qu'il quittait le lycée, d'où d'ailleurs on s'apprêtait à le renvoyer, et qu'il entendait se rendre à Bogotá. A l'en croire, avec quelques autres jeunots irresponsables de son genre, prétendument musiciens, il était parvenu à faire parler d'une voix différente et les instruments traditionnels et les instruments modernes. A présent, il voulait imposer ce nouveau son dans les clubs de la capitale en attendant de le faire admirer du monde entier. Enrique ne lui avait même pas répondu et lui avait donné son dos. Comme les temps avaient changé!

A l'âge de Fernando, il lisait Marx et Engels et Gramsci! Il rêvait de bâtir une société sans classes et sans couleurs. Il rêvait de changer le monde. Fernando, lui, ne rêvait que de changer la musique!

A l'âge de Fernando, il se contentait de dévorer les filles des yeux et de se masturber dans leur souvenir. Fernando, lui, faisait gémir Isabel si fort et de façon si indécente dans sa chambre sous les toits que tous ceux qui la nuit ne dormaient pas étaient au courant de ce qu'ils faisaient là-haut.

Pas étonnant que pareille détérioration des mœurs déroute les esprits et fasse le lit d'illuminés comme Aton!

Enrique déboucha sur l'avenue du front de mer au moment où le soleil, rougeoyant comme un boulet de canon, tombait derrière El Morro. Le Dr Schultz était assis à sa place habituelle. Bien que ses parents aient émigré de Mayence quand il avait à peine trois ans, il parlait avec un fort accent germanique. Il en était à sa troisième Bavaria et fixa Enrique avec des yeux embrumés :

– Mon cher, tu ne me croiras pas! C'est elle-même qui est venue me voir, en cachette du Loco, j'imagine,

33

un matin avant ma consultation. Elle se plaignait de vives douleurs dans le bas-ventre et de pertes de sang. Je l'ai examinée et je n'ai pas mâché mes paroles, tu me connais. Si elle ne cesse pas sa diète, si elle ne prend pas des médicaments d'urgence, je ne donne cher ni d'elle ni de l'enfant qu'elle porte. Mais elle n'a même pas voulu regarder ma prescription.

– Normal! Elle n'a pas un sou à elle. Peux-tu me faire parvenir cette prescription ce soir même?

Schultz fit oui de la tête.

– J'ai entendu dire que Fernando part à Bogotá?

Enrique se demanda comment les nouvelles circulaient à Santa Marta. A croire que les murs et les toits des maisons, les cloisons des chambres avaient des oreilles pour entendre. Que les fenêtres et les lucarnes des façades étaient autant d'yeux grands ouverts pour épier ce qui se passait au plus secret de la demeure des voisins.

Enrique commanda un Ron Medellin qu'il estimait bien supérieur à tous les rhums guadeloupéens que José Rosario recevait de son ami Gabrillot et même au rhum haïtien Barbancourt qu'il lui avait fait goûter un soir en grande cérémonie. Son esprit se tourmentait.

Comment faire accepter les médicaments prescrits par Schultz à cette femme fière et ombrageuse? Comment s'assurer qu'elle les prendrait régulièrement?

Ute et Rudolf vivaient ensemble depuis cinq ans, pratiquement depuis le jour où Rudolf était entré dans la petite librairie de Joachim Friedrich Strasse où Ute était employée. Il avait demandé un guide touristique de la Guadeloupe dont elle n'avait jamais entendu parler. Ni du pays ni du guide. Pendant qu'elle remplissait le bon de commande, elle sentait sur elle la brûlure de son regard. A sept heures du soir, au sortir de la librairie, elle n'avait pas été surprise de le voir sous un réverbère qui avait l'air de cracher les gouttes de la pluie. Il était nu-tête, enveloppé d'un grand manteau vert, qu'il avait dû acheter pour trois fois rien au marché aux puces, et les pieds engoncés dans des chaussures Adidas. Elle ne s'était pas fait prier pour dîner avec lui d'un hot-dog et d'un café au lait, ni pour le laisser monter dans le vieil appartement, haut de plafond, mais mal équipé et mal chauffé, qu'elle partageait avec une autre fille, une étudiante celle-là, à Droysenstrasse. Il n'était ni le premier ni le dernier. Elle n'espérait pas grand-chose de la nuit. Un peu de chaleur dans son lit.

Le matin, en le quittant, elle ne pensait plus le revoir. Mais le soir même, il était revenu frapper à sa porte. Les premiers temps, elle le croyait fou. Pas d'une folie agressive éclatant en paroxysmes de violence. D'une folie douce qui faisait alterner des moments de silence avec des heures de bavardage délirant. Il avait deux idées fixes. Le communisme et la Guadeloupe.

Selon lui, le communisme avait dévoyé le monde et il pouvait ressasser interminablement ses méfaits. Comme, pendant dix-huit ans, Ute avait déjà entendu ces mêmes paroles, à quelques variantes près, dans la bouche de ses parents, de petits commerçants de Bad Homburg, elle ne lui prêtait aucune attention. C'était bien différent quand il l'entretenait de la Guadeloupe. Il n'y avait jamais voyagé en personne et, quand même, il réussissait à l'enchanter avec ses descriptions de flots d'eau cristalline, de fleurs de bougainvillées, d'hibiscus et d'orchidées de toutes les variétés de couleur; de champs de canne à sucre; de forêts denses remplies de foufous falle vert, de ramiers à tête jaune et d'oiseaux

35

tapeurs faisant résonner sous les coups de leur bec le bois des mapous et des gommiers blancs. Elle aimait aussi l'entendre parler des troupeaux de nuages qui couraient dans le ciel, du vent qui se levait sur la mer et parfois se changeait en cyclone pour laisser l'île nue comme la main, avec ses deux yeux pour pleurer ses blessures. Pourtant si Rudolf économisait sou par sou pour se rendre à la Guadeloupe, ce n'était pas du tout pour admirer ces beautés naturelles qu'il décrivait à la perfection. C'était surtout pour rencontrer, à ce qu'il disait, plus qu'un prophète ou un saint : un dieu. Un vrai dieu.

Il s'appelait Aton et était Fils du Soleil. Sa religion pouvait laver la tête des hommes de toutes les idéologies, du matérialisme, du désir de la conquête, de la puissance et de la chair des femmes. Sans l'avoir jamais vu, Rudolf le dépeignait à Ute assis rigide comme un pharaon sur un trône sculpté dans le tronc d'un mahogany du Honduras au fin fond des bois, à deux pas d'un bassin d'eau profonde que masquaient les pieds de pommiers roses.

Et Ute, qui n'avait jamais espéré que la fin du mois ou de la semaine entamée, se mettait à rêver. Ah oui ! Quitter Berlin, ses lumières chiches, ses avenues tracées pour la parade des chars, ses vices cachés sous la terre, ses quartiers de Turcs ! Ses familles coupées en deux, écartelées de part et d'autre d'un mur de pierre. Oublier les constants rappels d'un passé dont elle n'était pas responsable et que maintenaient artificiellement en vie quatre armées de soudards.

Ute savait que les gens restaient à distance de Rudolf comme d'un chien porteur de la rage, d'un pistolet chargé ou d'un couteau à la lame trop effilée. Mais elle ne s'occupait pas de leurs peurs et les mettait sur le compte de cette méchanceté et de ce désir de médire qui sont innés au cœur des hommes. Pour elle, Rudolf vivait simplement dans un monde à lui, un monde secret, un monde à part dont il ne confiait la clé à personne.

Elle ne le questionnait pas puisqu'il ne voulait jamais parler de lui-même. Elle lui avait deviné une enfance pleine de maladies peu courantes, une famille de haute bourgeoisie dans une maison de pierre à Hanovre, qu'il avait quittée sur une grave fâcherie, des études interrompues.

Le mois où le mur de Berlin était tombé sous les coups des manifestants avait aussi été celui de la mort de la mère de Rudolf. Après avoir lu le télégramme envoyé par son grand frère, l'œil sec et brillant, la voix presque joyeuse, il avait simplement annoncé :

– Me voilà riche à présent.

Le temps de toucher sa part d'héritage et il prenait avec Ute le chemin de la Guadeloupe.

Et voilà qu'ils se retrouvaient à présent en Colombie, dans ce pays à mauvais nom où le sang coulait en rigoles dans les rues et où les voleurs faisaient bombance !

La Guadeloupe, la Colombie se confondaient dans la même étrangeté. Des bananiers, des champs de canne à sucre, des manguiers, des gens habillés de leur peau sombre et partout l'œil bleu sans fond de la mer. Au point qu'elle se demandait si elle, elle avait vécu ce qu'elle croyait avoir vécu.

A la Guadeloupe, ils avaient commencé par traverser une forêt dense. Dans la noirceur et le silence, leurs pieds butaient sur des racines lovées dans la terre comme des serpents. Pour se retenir de tomber, ils s'accrochaient à des lianes poisseuses de sang vert et qui, traîtresses, les frappaient de toutes leurs forces dans le dos. Quelque part, ils entendaient le bruit de l'eau. Enfin ils avaient débouché dans une clairière, une sorte d'esplanade couronnée de bleu, découpée entre la muraille noire des arbres. Une vingtaine de cases pareillement faites de gaulettes de bois tressé s'y élevait. Chacune d'elles, coiffée de paquets de paille, était flanquée d'un fût barbouillé de rouge et précédée d'un jardinet. Pathétiques dans ce dénuement, poussaient quelques pieds de crotons, de robes-à-l'évêque, d'ixoras rouge et de roses cayenne. Un enclos à volailles était vide. Des caloges à lapins aussi. L'endroit semblait inhabité et la voix de Rudolf n'attira d'abord que des échos. Au bout d'un moment quand même, une personne – un homme ou bien une femme ? – avait passé sa figure couleur de charbon par l'entrebâillement d'une porte :

– Il n'habite plus ici.

Dans son saisissement, Rudolf s'était assis à même la terre grasse et goulue comme une bête.

La personne s'était avancée et les yeux terrifiés d'Ute avaient découvert que c'était une femme. Ses cheveux arrivaient jusqu'à ses fesses. Ses seins distendus recouvraient les rangées d'os de sa poitrine comme des sacs vides. Enfouis au fond de sa figure, ses yeux étaient pareils à des tisons :

– La police est venue le chercher. Soi-disant qu'il squattait le parc naturel.

– Où est-il à présent ?

– A Maurepas... Chez un béké qui l'a pris en pitié...

Le béké les avait fort bien reçus.
C'était un beau vieillard, tout de blanc vêtu comme

au temps d'autrefois. Il portait un chapeau de Panama de même couleur, ceinturé d'un gros grain bleu marine. Ses mains couturées de veines s'ornaient d'un anneau à chaque doigt, les huit anneaux de fiançailles et de mariage de celles qu'il avait épousées, puis mises en terre, car le béké avait aimé les femmes. Toutes les femmes. Même les Noires qui sarclaient ses champs de canne. Même les Indiennes qui gardaient ses bœufs.

A présent, il vivait en amour incestueux avec une de ses filles, Opale, la dernière, la plus blonde et qui ne sortait jamais sans chapeau dans le grand soleil pour ne pas gâter sa peau blanche.

La maison du béké était ouverte à tous les malheureux. Tout ceux qui avaient ventre vide, qui étaient dans le besoin ou le chagrin y trouvaient le réconfort. Il suffisait de faire la queue. Dans la cuisine, à midi ainsi qu'à 7 heures du soir, Opale servait aux nécessiteux la soupe grasse que les servantes avaient fait cuire avec du jarret de bœuf, des cives, des navets et du giraumon. Quand ceux-ci avaient fini de manger, le béké leur adressait un petit sermon :

– Pourquoi est-ce que vous ne voulez plus travailler la terre comme vos pères et vos grands-pères avant vous ? Je suis obligé de louer des Haïtiens qui sont des étrangers par ici. Les politiciens vous avaient promis le Grand Soir. Les pauvres devaient prendre la place des riches et les riches des pauvres. Les hardes devaient changer de dos et de maîtres. Mais vous voyez bien que ce sont des fariboles, des paroles en bouche sans rime ni raison! Le Grand Soir n'arrivera pas. Reprenez vos houes et vos coutelas et le chemin de mon usine.

Dans la maison du béké, Ute et Rudolf s'étaient couchés au creux d'un lit à baldaquin taillé dans le bois de courbaril, recouvert d'une courtepointe en soie de

Chine. Ils n'avaient pas osé faire l'amour. Le plancher de la chambre était poli comme un miroir entre les bordures des tapis dont les points avaient été noués en Perse. Ute et Rudolf ne savaient où poser leurs pieds, alourdis par des sabots et des chaussures Adidas, de peur de laisser de grandes marques de saleté. Quand il se regardaient dans les glaces, ils avaient honte de ce qu'ils voyaient.

Au deuxième matin, tandis que les pigeons roucoulaient dans leur volière, le béké les attendait devant un verre de jus de maracuja et un œuf à la coque. Le soleil avait commencé ses jeux. Assise à côté de son père, Opale avait enfoui une fleur de gardénia entre les délices de ses seins. Le béké leur avait fait signe de prendre place :

– J'ai recueilli cet homme dont personne ne voulait plus en Guadeloupe, sa femme belle comme la lune montante, et croyez-moi, je m'y connais en femmes, ses deux enfants et quelques-uns de ses disciples. Je leur ai laissé jouissance d'une de mes terres, celle qui est située auprès du Grand Étang. Ses disciples la sarclaient et la bêchaient et elle leur donnait des pois d'Angola, des pois savon, des pois boukoussou et toutes qualités de racines. La terre est une femme fidèle. Elle reste là à attendre l'homme, à attendre qu'il revienne à elle. Au moment du cyclone Hugo, j'ai abrité cet homme, sa femme, ses deux enfants, ses disciples dans les anciennes écuries sur le flanc gauche de ma maison. Mais il n'avait pas peur d'Hugo. Dans le grand désordre et la furie des vents, il est sorti dehors parler à la nuit comme si de rien n'était. J'ai eu de l'amour pour lui parce qu'il voulait changer le monde. Il voulait seulement changer le cœur des hommes. S'il se prenait pour le Bon Dieu en personne, cela ne m'a jamais gêné. Rudolf avait toussé :

— Pourquoi est-ce qu'il est parti ?

Le béké avait eu une mine chagrinée et Opale lui avait caressé la main à travers la table :

— Il voulait retourner en Égypte. Mais j'apprends qu'il n'a pas été plus loin que Santa Marta, en Colombie...

4

Couchée à même la terre, à sa place favorite, dans la chaleur de l'après-midi, Tiyi revivait le temps où elle était Tanya. C'était pourtant vrai que l'existence avait commencé pour elle, douce comme un bonbon au miel, douce comme ces *gâteaux-coco* que sa mère vendait sur le pas de sa porte dans un tray posé sur un escabeau. D'accord! Elle avait perdu Léonce, son père, avant même de naître. Mais elle avait en quantité plus que suffisante des grands-pères, des grands-oncles, des oncles, des parrains, des amis de la famille pour ne pas se sentir pareille à une orpheline.

Léonce Lameynard, surnommé Doudou, était mort dans un accident de voiture. L'avant-veille de Noël, l'auto-char qui ramenait sa troupe de théâtre, *Nou Sé Zabitan*, d'une salle des fêtes de commune en Basse-Terre, s'était jetée la tête la première contre un des palmiers royaux bordant l'Allée Dumanoir. Le chauffeur était-il aussi saoul que les acteurs qu'il conduisait, l'esprit intoxiqué par le succès qu'ils venaient de remporter? Des flots d'essence s'étaient répandus sur le goudron. Le feu avait pris et, quand ils avaient pu faire leur travail, les pompiers de Capesterre n'avaient eu entre les mains que des objets charbonnés, calcinés, informes dont on ne pouvait dire si c'était des restes d'hommes.

Quand ce malheur s'était produit, Alexis, qui l'avait épousée moins d'un an plus tôt, avait vingt-deux ans et ne savait rien faire de ses dix doigts. A part des *gâteaux-coco*. Courageusement, elle s'était mise à les vendre, le soir, sur le pas de sa maison. Mais la famille Lameynard, unie autour d'elle, ne l'avait jamais laissée manquer de rien, ni elle ni son enfant, cette Tanya si jolie, toujours la première à l'école chez les sœurs. Oui, pour la petite Tanya, l'enfance avait été une tendre succession de chodo aux baptêmes de poupées, à Noël, d'oranges et de mandarines au Jour de l'an, de déguisements au carnaval et de grandes vacances dans des maisons de changement d'air parmi des cousins affectionnés même s'ils étaient plus riches.

Les choses s'étaient gâtées vers ses quatorze ans quand elle avait décidé de marcher sur les traces de son père. Léonce Lameynard occupait dans la journée un haut poste à la banque et portait nœud papillon. Dès la tombée du soleil cependant, il montait sur les tréteaux des salles des fêtes. Alors, il s'affublait des costumes les plus divers et faisait rire toute la Guadeloupe, commune par commune. Il triomphait dans le rôle de Georges, père de famille harassé, dans une comédie assez boulevardière sur les gens de La Pointe. Les Lameynard ne prenaient pas ombrage de cela, car dans la famille, on avait toujours eu le tempérament artiste. Depuis l'ancêtre Amédée qui jouait du saxophone, on comptait en quantité des musiciens, des peintres, des poètes en français ou en créole et même un romancier mineur.

Pourtant, après sa mort tragique, en cette avant-veille de Noël où tout un chacun avait en tête la messe de minuit, le cochon en daube et les pois d'Angola, le mot de comédien avait été rayé du vocabulaire familial.

La colonie du nouveau monde

L'envie de devenir comédienne était venue à Tanya en regardant les photos de son père, non pas en Léonce bourgeois garrotté par son nœud papillon et chaussé de guêtres; mais en Georges, prolo vêtu d'un maillot de corps pas très net attablé avec ses camarades devant une bouteille de rhum. Il lui semblait que monter sur les planches lui était un devoir sacré. En vérité, la seule manière de venger la mémoire d'un homme injustement fauché par le destin. C'est pourquoi elle qui s'était montrée jusque-là douce et obéissante, répondant « oui » à tout le monde, les yeux baissés, batailla vaillamment pendant quatre ans. Elle résista aux pleurs et aux tentatives de chantage d'Alexis, à la fureur des oncles et des tantes et aux supplications des grands-mères. A dix-huit ans, victorieuse, elle avait pris le chemin de l'École d'art dramatique de la rue Blanche à Paris.

Les premiers mois de sa nouvelle existence, Tanya fut trop occupée à tomber en amour avec la ville pour s'interroger sur sa vocation. Elle habitait boulevard Voltaire, à deux pas de l'église Saint-Ambroise, dans un quartier peu touché par la modernité. Tout y datait du siècle dernier. Son immeuble n'était habité que par des retraités et, dans la cage d'ascenseur récemment installée, elle se cognait contre des couples à cheveux blancs, parlant tout bas et la regardant de côté, terrifiés par les éclats de voix ou de musique qui s'échappaient de son appartement.

Les week-ends, elle partait pour de longues promenades en évitant les monuments célèbres autour desquels les touristes s'agglutinent et les beaux quartiers qui pour elle n'avaient pas de beauté. Elle aimait les squares tranquilles où les enfants font des pâtés dans le sable, les églises où les fidèles font brûler des cierges, les marchés en plein air, les places que fréquentent les forains.

Aussi quel bonheur de vivre en solitaire sans une tralée de parents à l'entour ! De décider seule du pas de chacune de ses journées !

Un seul point l'embarrassait. Elle ne savait que faire de sa virginité jusqu'alors précieusement gardée par Alexis et à présent si fort convoitée par une quantité de jeunes garçons. C'est pendant la seconde année de son séjour à Paris que les élèves de l'École commencèrent à la surnommer la Mouette. Elle n'avait jamais caché son goût pour cette pièce, si bien qu'à la fin de l'été elle en avait travaillé la scène finale et lors de l'audition publique obtenu un vif succès. Pourquoi les railleries ?

La mouette est un oiseau blanc qui vole au voisinage des côtes. Un oiseau BLANC. Le détail a son importance.

Les élancements dans son bas-ventre interrompirent la rêverie de Tiyi. Et la douleur toute physique d'aujourd'hui se mêla à celle, toute morale, de ce temps passé.

Avait-elle tort de se rêver en mouette ? Avait-elle tort de se sentir mouette ?

« Je suis une femme, je suis une mouette, je suis une femme, je suis une mouette. »

Mais oui ! Elle avait découvert au fil des mois qu'ils avaient raison, ceux qui se moquaient ! Sans le savoir, elle était faite pour jouer les servantes ou les prostituées. Au lit, le matin, Sergio, un apprenti comédien réunionnais à qui elle avait fini par offrir sa virginité, bâtissait des châteaux en Espagne :

– C'est en Amérique que nous devrions aller. Là au moins, les acteurs noirs ont leur chance.

Tiyi se rappelait l'humiliation des dossiers de photographies inutilisés, des auditions refusées, des castings connus d'avance, des figurations que l'on est bien forcé d'accepter pour ne pas mourir de faim. Elle avait été assez chanceuse pour jouer pendant près d'une année la tireuse de cartes en mouchoir de tête dans une comédie à succès. Ah oui! Elle était mûre à point pour rencontrer Aton.

Sa dépression nerveuse n'en finissait pas. Une fois par semaine, elle se rendait à l'hôpital Saint-Louis où elle tentait de se confier au Dr Timon, psychiatre impuissant à la guérir, mais très attentif. C'est là, dans la salle d'attente, qu'elle s'était assise à côté de ce nègre, carré, jeune, assis sur son banc, très raide, le dos droit, les mains posées sur les genoux et les pieds reposant bien à plat sur le carreau de la salle d'attente. Il était drapé dans une pèlerine de grosse laine bleue à capuchon doublé de blanc. Comme elle retraversait la cour de l'hôpital, en possession de l'ordonnance qui lui assurait les comprimés indispensables à sa vie, elle l'avait trouvé qui la guettait. Cela l'avait étonnée. Quand elle s'était assise près de lui, il lui avait semblé absent, indifférent à ces désirs qui tourmentent le lot commun des hommes. Il avait déclaré sans préambule avec un fort accent guadeloupéen et une mauvaise diction qui lui avaient déplu :

— Depuis tout petit, je souffre avec ma tête. Des fois, je sens qu'elle va éclater! Mais les médecins d'ici n'ont jamais rien trouvé.

A bien réfléchir, ce n'était pas seulement son accent et sa diction qui lui avaient déplu. C'était quelque chose d'insidieusement répandu sur toute sa personne : son origine sociale qu'il ne pouvait pas cacher. On sentait tout de suite qu'il sortait d'un lakou ou d'un taudis des faubourgs de La Pointe. Qu'il n'aimait que le gwo-ka et considérait le créole comme une langue. Qu'il raffolait des dombwés et des pois rouges.

Quand elle avait commencé de le fréquenter, elle avait été frappée par son inculture. Il ne connaissait rien de rien à rien. Sa seule passion était l'Égypte dont il savait sur le bout des doigts l'histoire religieuse, sociale et politique depuis le temps lointain des pharaons. Il se mouvait à l'aise dans la généalogie d'Aménophis IV Akhenaton ainsi que dans les noms de ses épouses, de ses garçons, de ses filles et le nombre de ses palais. Il lui parla très vite de ses prétentions à être le dieu Soleil renouvelé, mais elle prit cela pour une douce folie, pas plus dangereuse en vérité que celle de vouloir jouer *La Mouette* quand on est une négresse.

Au fur et à mesure que les jours passaient, il devenait aussi indispensable à sa vie que les comprimés du Dr Timon. Peut-être parce qu'il était l'antithèse des Lameynard. Ces Lameynard dont l'orgueil oubliait que tous les nègres des Antilles sortaient des ventres d'esclaves. Ces Lameynard tellement pleins d'euxmêmes qu'ils n'avaient pas su lui faire comprendre que certains rêves ne devaient pas entrer dans la tête des filles de sa couleur. Car à présent, une haine féroce pour sa mère, pour sa famille ravageait son cœur. Elle les rendait responsables de tout : du ratage de ses espoirs, de sa maladie.

Bientôt, elle avait quitté le boulevard Voltaire pour s'installer avec Aton à Montreuil, dans un immeuble oublié par les démolisseurs où n'habitaient que des bicots et des nègres. Devant les vide-ordures bouchés et les ascenseurs en panne, elle savourait sa déchéance. Aton avait obtenu son baccalauréat. Venu à Paris, il avait commencé, puis abandonné ses études d'histoire et vendait sur le marché de petits objets de bois qu'il fabriquait lui-même. Des animaux. Chats, chiens, oiseaux étonnamment ressemblants. Ou bien des fleurs. Il ne manquait pas d'acheteurs et l'on ne mourait pas de faim avec lui. Au début, ils ne faisaient pas l'amour. Ils se couchaient l'un à côté de l'autre sur le matelas posé par terre dans l'odeur du poêle à charbon et du salpêtre sur les murs. Il l'enserrait de ses grands bras comme sa mère l'enserrait autrefois les soirs de grands vents et d'ondes tropicales. Peu à peu, à travers le mystère de ses paroles rares et toujours embrouillées, elle avait compris qu'à près de trente ans il n'avait jamais possédé de femme et elle l'avait initié.

La douleur dans son bas-ventre devint si déchirante qu'elle s'éveilla tout à fait et se redressa en s'appuyant sur ses coudes. Le soleil se pavanait au milieu du ciel et lançait ses flèches jusqu'au cœur de toute chose. Elle s'aperçut alors qu'un homme l'observait, appuyé contre le tronc frêle d'un des bananiers et elle reconnut Enrique Sabogal, le conseiller municipal. Il portait sur sa figure une expression qu'elle ne connaissait que trop et qui la stupéfia. Celui-là aussi ? Les hommes sont-ils malades pour désirer les femmes tombées, désespérées, les femmes comme elle ?

Il était venu deux jours plus tôt lui signifier la fin de non-recevoir de la municipalité. Qu'est-ce qu'il voulait encore ?

Il s'avança, la mine déférente, tout en continuant de l'incendier du feu de ses yeux :

— Je m'excuse de vous importuner.

Il parlait un français cérémonieux qui lui rappelait, l'accent étranger en plus, celui de ses grands-pères et de ses grands-oncles qui semblaient toujours réciter des discours de distribution des prix. Au fur et à mesure qu'elle l'entendait s'embrouiller dans des explications, sa colère montait. C'était ainsi que le Dr Schultz traitait le secret médical ? Il ne l'avait pas consultée pour qu'il révèle à tout un chacun l'état de sa santé. Il secoua la tête :

— Schultz est mon ami. Et puis vu ma profession, je

48

peux partager le secret médical. Je vous ai apporté vos médicaments, chère madame. Connaissant vos opinions religieuses, Schultz ne vous a prescrit que des remèdes homéopathiques. C'est la nature même que vous vénérez qui va vous soigner.

Ils restèrent là à se fixer un long moment, la mallette de médicaments ornée du signe d'Hippocrate posée entre eux. Tiyi aurait aimé se voir par les yeux de cet homme, découvrir le charme qui la parait à ses yeux. Il reprit :

– Prenez soin de vous-même. S'il vous arrive quelque chose, votre mari ne sera pas le seul à être inconsolable, même si lui seul en a le droit.

Tiyi faillit rire de ces paroles ampoulées, puis comprit qu'elles pouvaient signifier une déclaration d'amour. D'ailleurs si elle hésitait à ce sujet, l'expression d'Enrique, le buste penché en avant, les lèvres tremblantes et les yeux toujours en feu, auraient suffi à l'éclairer. Trompé par son silence, il devint plus hardi :

– Madame, je vais vous dire la vérité. Je ne peux plus supporter de voir une personne de votre condition dans une pareille situation. La nuit, je n'en dors plus ! Je vous en prie, laissez-moi prendre soin de vous !

Elle se leva si lourdement qu'il se précipita pour l'aider ; mais elle l'arrêta d'un seul coup d'œil :

– Plus une seule parole, monsieur ! Est-ce que vous voulez que je rapporte vos bêtises au Soleil ?

En même temps, le ridicule de la situation ramenait un fou rire oublié depuis belle lurette sur ses lèvres.

Aux heures les plus chaudes de la journée, Aton restait dehors dans l'éclat et la morsure du Soleil. Pourtant, cet après-midi-là, il n'avait pas plus tôt terminé son repas de purée de manioc agrémentée de feuilles d'épinard sauvage qu'il alla s'étendre dans la pénombre de la chambre et resta les yeux ouverts sur le matelas. Depuis quelque temps, il avait beau rester à se cuire et se recuire au-dehors, le Soleil ne lui parlait plus. Finis les grands causers. Il restait là-haut, tout là-haut, inaccessible dans le ciel à le toiser comme un ennemi et ses rayons dardaient son hostilité, voire sa haine. Qu'est-ce qu'il avait fait pour mériter pareil traitement ? Il n'avait manqué ni une seule prière ni une seule incantation. Il avait veillé à sa nourriture. Il avait gardé son cœur pur.

Alors quoi ? Pourquoi ?

Comme les larmes coulaient sur ses joues, Tiyi tourna la poignée de la porte. Sans manifester de surprise à le voir là, à cette heure, elle se laissa tomber à côté de lui sur le matelas. Puis elle ôta son caraco, libérant ses seins, aussi fermes qu'il y avait quinze ans, découvrant ses épaules amaigries, mais toujours d'un dessin harmonieux, et elle s'allongea à côté de lui sans le toucher.

Son cœur se serra plus fort et ses larmes coulèrent plus chaudes. Il avait été un temps où elle prenait bon soin de lui comme de son enfant. A présent, elle lui était à tout moment lointaine, aussi hostile que son double là-haut dans le ciel. D'une voix plaintive, il murmura :

– Aton a décidé que les Allemands resteraient ici à partir de demain.

Elle lui tourna le dos et ne répondit rien. Il continua :

– Aton a décidé qu'ils s'appelleraient Hapou et Satamon. Aton veut que tu traites Satamon comme ta fille.

Elle poussa un soupir qui pouvait signifier l'exaspération ou la résignation. Là-dessus, elle fit semblant de s'endormir.

Oui, dans le temps, elle prenait bon soin de lui. Le matin, elle le massait au sortir de son bain de feuillage ; le midi, elle lui portait ses repas, puis elle restait debout devant lui jusqu'à ce qu'il ait fini de manger ; le soir, elle caressait son sexe jusqu'à ce qu'il se réveille. Qu'est-ce qu'elle lui reprochait ? Les lettres restées sans réponse ? Les promesses sans suite ? L'abandon de tous les disciples, à part le couple fidèle, Mandjet et Mesketet ?

Ces deux-là acceptaient sans un mot de reproche l'exil et la misère. Les jeunots d'Allemands en feraient-ils de même ? Est-ce qu'il n'aurait pas mieux fait de les renvoyer chez eux ?

Autrefois, en Guadeloupe, c'était une autre vie.

Après quelques mois durs, tout était devenu souriant. Il s'était retiré avec les siens là-haut dans les bois, à Matalpas. La colonie comptait alors cinquante hommes et femmes, tous dans la pleine force de leur âge, sans parler des enfants qui naissaient, poussaient, aussi vivaces que l'herbe de Guinée sur les talus. Au moment de la prière du matin, c'est tout un peuple qui se prosternait devant le Soleil et qui prononçait la simple et belle incantation rituelle :

> *Salut ! Toi qui te réjouis à l'horizon*
> *Dans le globe solaire d'Aton.*

Ensuite, ce peuple se mettait au travail. Les uns demandaient à la terre ses richesses et ses secrets. D'autres élevaient de la volaille. D'autres trayaient le pis des chèvres. D'autres coupaient des fibres de carata. D'autres les assemblaient et les tressaient. Aton, lui, régnait sans partage.

Au bout de la septième année, la discorde était entrée dans les cœurs. Les femmes s'étaient mises à se plaindre, à chuchoter les unes aux autres, à remplir la tête de leurs hommes avec des récriminations :

— Pourquoi nous commande-t-Il, Lui, qui ne fait rien de ses dix doigts ? Qui ne sarcle ni ne bêche, ni ne file ?

51

– Depuis tout ce temps, nous ne voyons rien venir. Quand partirons-nous pour l'Égypte ?

– D'abord où trouverons-nous les moyens pour y aller ?

– Une fois là-bas, aurons-nous des terres à cultiver ? Un toit pour abriter la tête de nos enfants ?

Bientôt des paroles encore plus mauvaises s'étaient mises à circuler :

« Qu'est-ce qui nous dit qu'il est bien ce qu'il nous dit qu'il est ? »

Et l'on avait échangé des journaux qui tous traitaient Aton d'illuminé, pire, de malade. Le quotidien parisien *Libération* reproduisait une interview exclusive du Dr Timon qui disait avoir soigné Tiyi et Aton pour des comportements schizophréniques. Dès lors, la débandade avait commencé. Une à une, les familles avaient abandonné leurs cases et étaient redescendues dans la plaine. Une fois arrivées là, elles se répandaient en propos scandaleux sur la colonie de Matalpas. A les croire, Aton n'était que vices. Il se servait comme il le voulait du corps des femmes et des filles de ses disciples. Parfois même, il se servait de celui des garçons. Aton pleurait à chaudes larmes en apprenant pareils mensonges, lui qui, à son profond regret, ne pouvait plus guère satisfaire sa bien-aimée Tiyi.

Ce qui devait arriver était arrivé. Ce tapage avait échauffé les oreilles du préfet. Un matin, alors qu'il se rendait à ses dévotions, Aton avait été saisi par une dizaine de gendarmes avant d'être battu comme du plâtre et jeté à la geôle de Basse-Terre. Il y était resté quatre mois. Quatre mois d'agonie. Quatre mois de tourments, car il ne savait pas ce que devenait sa compagne. Les autres prisonniers le moquaient :

– Tu es bien bête de pleurer pour une femme. Est-ce que tu ne sais pas que la femme se sauve toujours ?

– Tu ne connais donc pas la chanson : *fanm tombé pa janmin dézespéré* * ?

– Tu ne sais pas ? La femme, c'est un chat ! Elle a neuf vies !

Après ces quatre mois à la geôle, le préfet l'avait envoyé à l'hôpital psychiatrique de Saint-Claude. C'est là à l'heure des visites que Tiyi était venue le voir avec le béké. Le béké lui caressait les mains et la traitait comme un saint sacrement. Alors, Aton s'était rappelé les paroles de ses compagnons de prison :

– Est-ce que tu ne sais pas que la femme se sauve toujours ?

Il se serra contre le dos de Tiyi et l'entoura de ses bras :

– Aton t'aime et t'aimera toujours malgré tout !

Elle se dégagea avec impatience. Il savait bien que ces paroles allaient lui déplaire en lui rappelant cette histoire. Car pour elle, tout cela était du passé. Affaire classée. Elle ne savait pas que le souvenir de son aventure avec le béké le réveillait encore la nuit.

Étrange comme les plaies du cœur ne guérissent pas ! Le temps a beau s'ajouter au temps, elles restent là à suppurer et lanciner comme au premier jour.

---

* Une femme ne doit jamais perdre espoir !

5

Mandjet était assise sur la branche basse d'un manguier. Elle avait froissé une feuille entre ses doigts et s'emplissait les narines de son odeur de térébenthine. Les arbres de ce pays-là étaient autant de vieilles connaissances que l'on retrouvait debout gardant le goudron des routes, les portes des cases, les savanes et la tête des mornes. La mer aussi dans sa défroque bleue, par endroits déteinte, avait une figure familière.

Sur son arbre perchée, Mandjet avait vue sur la maison, toutes persiennes baissées, dans laquelle Tiyi, poussant son ventre devant elle comme une charge déplaisante, venait de s'enfermer, sur les fillettes assises sur la galerie, pour une fois sages comme des images, occupées à un jeu qui ne troublait pas le repos de leur mère. Par-delà le feuillage de la petite bananeraie, elle avait aussi vue sur Aton initiant les deux Allemands à sa dévotion de l'après-midi. Elle ne s'était donc pas trompée. Il allait faire de ces nouveaux venus des initiés, connaisseurs des arcanes de la théologie et non de simples disciples, comme Mesketet et elle qui étaient tout juste bons à psalmodier des prières et à cultiver la terre de la colonie. Son cœur, pourtant toujours docile, s'emplit de révolte. Cela n'était pas juste! Pourquoi donner sa faveur à deux petits Blancs sortis de rien du tout? Était-ce pour en arriver-là que Mesketet et elle avaient supporté tout ce qu'ils avaient supporté? Eux seuls suivaient Aton depuis le commencement. Ils n'avaient pu le visiter à la geôle de Basse-Terre; mais ils l'avaient attendu à sa sortie de l'hôpital psychiatrique de Saint-Claude. Ils l'avaient accompagné chez le béké avant de venir s'établir avec lui dans ce pays lointain. Puisque Aton ne devait pas voyager dans les airs pour ne pas heurter son Double, eux qui n'avaient jamais quitté la Guadeloupe avaient enjambé la mer, traversé des étendues de terre sans fin. Leur fidélité méritait sa récompense. Mais tout Dieu qu'il était, Aton se comportait comme le plus faible et le moins clairvoyant des mortels. Il avait pardonné l'adultère et donné sa confiance aux malfaisants. A présent, il ouvrait la porte à la perdition. Car on n'avait pas besoin de deux yeux pour voir que ces Blancs-là entraînaient avec eux la perdition. Ils venaient d'un pays qui n'avait jamais eu que mépris pour ceux des autres races et qui avait montré au restant du monde comment les exterminer à la perfection. Est-ce qu'Aton ne savait pas cela? On aurait dit que des cheveux blonds et des yeux bleus lui avaient fait perdre la tête. Pour la première fois, Mandjet la dévouée pensa à le quitter. Elle qui l'avait aimé depuis le premier jour.

En ce temps-là, elle s'appelait Francesca. Elle n'allait plus à l'école et aidait sa maman, vendeuse de poissons sur le marché de la Darse. Un matin, les mains rouges, elle écaillait de son mieux un vivanot quand elle l'avait vu. Il débouchait des quais, haut, tellement haut que sa tête semblait toucher les amandiers-pays, les cheveux lourds et sculptés comme un bois d'acajou. Sa vue l'avait aveuglée comme le soleil et, dans son saisissement, elle s'était levée debout pour le saluer. Ensuite, elle avait distingué dans son sillage une femme. Une femme si peu faite pour marcher à côté de lui qu'on se demandait pour quel jeu le Bon Dieu les avait associés. Belle et boudeuse, le corps sinueux comme une liane de maracuja, jetant des regards exaspérés sur la foule qui, sans comprendre, suivait Aton dans l'émoi.

Dès le lendemain, Francesca avait entendu toutes sortes d'informations. Elle, c'était une Lameynard, de même souche que ces Lameynard médecins, avocats, banquiers dont La Pointe nommait le nom avec respect. Lui ? Ah lui ! C'était tout autre chose. C'était le premier garçon de cette pauvre Morena, morte d'une pleurésie l'année passée sans voir la gloire de son fils. Les gens disaient qu'il n'avait rien étudié en France, mais qu'il ramenait en Guadeloupe une parole plus vraie que celle de tous les politiciens, une parole plus vraie même que celle des témoins de Jéhovah. Une parole qui allait réconforter le cœur des malheureux. Ceux qui l'avaient connu dans l'enfance assuraient qu'à voir la façon dont il prenait les volées de son scélérat de beau-père on sentait bien qu'il n'était pas fait de même matière que la marmaille du quartier.

Francesca, pourtant si peu assurée d'elle-même, avait pris son courage à deux mains et était allée rôder auprès de la maison du Fonds Laugier qu'un disciple d'Aton — un richissime transporteur sur la route Abymes-Anse Bertrand ! — avait mise à sa disposition. Du matin au soir, cette maison-là était pleine de gens qui voulaient donner un meilleur goût à leur existence. Aton ne prêchait pas. Assis sur un morceau de bois, il disait simplement des paroles simples :

« Gens du Sud et du Nord ! Venez à moi, car je suis

la réincarnation de votre Père qui apparaît dans le Globe solaire et que vous avez oublié dans vos cœurs. Il m'a envoyé pour vous laver de vos péchés et vous ramener à Lui, à votre terre, l'Égypte. »

Pourtant, ce n'était pas croyable l'effet de cette simplicité-là; l'effet de cette voix qui ne promettait pas les merveilles du paradis, mais une nouvelle vie sur la terre. Les hommes politiques de droite comme de gauche avaient beau mettre les gens en garde contre les bêtises qu'Aton racontait, la maison du Fonds Laugier devenait chaque jour trop petite pour contenir tous ceux qui voulaient l'écouter.

Francesca avait sept ans et un corps de libellule quand Esnard Boisfer, le concubin de sa mère et le papa de son petit frère, s'était couché sur elle par force. Sa bouche puait le rhum agricole. Elle s'était battue avec lui jusqu'à onze heures du soir. Défaite, le lendemain matin, elle avait couru en pleurant raconter ce qui était arrivé à sa maman. En pleurant plus fort encore, sa maman l'avait suppliée de fermer sa bouche et de supporter par amour pour elle. Francesca fermait sa bouche et supportait depuis dix ans quand son chemin avait croisé celui d'Aton. Pendant tout ce temps, elle avait vécu repliée sur elle-même, figure fermée et yeux baissés. La nuit, quand Esnard Boisfer abusait de son corps, elle s'imaginait que sainte Thérèse de l'Enfant Jésus en personne venait l'emmener dans un pays de l'autre côté du monde, loin, loin. Hélas! elle se retrouvait le matin les cuisses blanchies de sperme. Quand elle avait reçu le baptême d'Aton et qu'elle était devenue Mandjet, la vraie vie avait commencé. Elle avait trouvé la force de prendre un coutelas pour menacer Esnard Boisfer. Elle avait appris à rire et à chanter. Jusqu'au jour où, dans le Soleil levant, Aton avait mis sa main dans celle d'un disciple fraîchement arrivé de Port-Louis : Mesketet.

Depuis pas mal de temps déjà, Aton n'était plus Aton. Certains disaient que la cause de ce changement, c'était son séjour enfermé. Le manque de liberté, cela vous refait un homme. Mais d'autres assuraient que c'était parce qu'à sa sortie de prison il avait trouvé Tiyi dans le lit du béké.

Ce n'était pas la première fois que des histoires circulaient sur le compte de Tiyi. A la colonie de Matalpas, on racontait que, derrière le dos d'Aton, elle prenait tous les hommes qui lui faisaient envie. Qu'elle profitait du temps où il faisait ses dévotions de l'après-midi ou de la nuit pour les mettre l'un après l'autre dans sa couche. Mais les malparlants n'avaient jamais rien pu prouver et tous les ragots étaient restés sans fondement. Tandis qu'à Maurepas l'adultère s'était étalé au grand jour. Et avec un béké encore! Horrifiés, les fidèles attendaient de la part d'Aton le châtiment exemplaire de la coupable. Quand rien ne s'était produit, ils s'en étaient allés.

Comme la plupart de ceux qui vénéraient Aton, Mandjet n'appréciait pas Tiyi.

D'abord parce que Lui l'aimait trop et que se soumettre de cette façon à une femme semblait bien humain, indigne d'un dieu. Ensuite parce que tous ceux qui avaient des yeux pour voir se rendaient bien compte qu'elle n'y croyait plus, qu'elle n'y avait peut-être jamais cru à ces histoires de Soleil et d'Égypte. Ils ne cessaient de se demander par quel mystère elle s'était embarquée dans leur aventure. Au Fonds Laugier, Mandjet avait été chargée de l'entretien de la maison et avait pu observer de tout près la manière dont Tiyi se comportait. Elle était fantasque comme la lune.

Un jour, c'était des sourires et des câlineries. Un autre jour, des regards noirs d'orage, le silence, la mauvaise humeur. Quant à Aton, elle le traitait avec une affection mêlée de mépris comme une maman un enfant disgracié ou arriéré. A laver les draps de leur couche, Mandjet savait qu'il y avait peu d'échange des corps entre eux et ne cessait de se poser des questions. Qu'est-ce que cela signifiait ? Oui, le grand rêve s'était échoué comme un cachalot sur une plage de la Désirade. Ils ne verraient jamais la terre d'Égypte, couverte de temples et d'obélisques dressés vers le Soleil par Ses premiers adorateurs. Il fallait partir. Partir avant qu'il ne soit trop tard ; avant que le destin n'ait joué à la colonie du nouveau monde un de ces tours dont il avait le secret. Il fallait retrouver la triste Guadeloupe, l'existence barrée sans espoir, les voisins curieux et malparlants, leur rhum et leurs zouks du samedi soir. Pourtant, en même temps, l'envie de revoir le pays natal lui prenait le cœur.

D'un bond, Mandjet sauta par terre. Toutes les choses qu'elle n'avait pas faites dans son enfance, grimper aux arbres, bondir comme un cabri, courir, elle les faisait à présent. Elle revint vers Mesketet. Indifférent au soleil qui cuisait ses épaules, les pieds enfouis dans les buttes de terre rouge, il mettait des tuteurs aux ignames. Elle le savait qu'il n'était à La Ceja qu'à cause d'elle. Aussi, elle n'aurait aucun mal à le convaincre. Elle s'approcha de lui :

– Il apprend aux Blancs sa prière de l'après-midi.

Elle parlait ainsi pour échauffer sa colère. La haine des Blancs était constamment à la racine des pensées de Mesketet. Déjà violente en lui, elle s'était encore exacerbée après un séjour qu'il avait fait en métropole. Du temps qu'il vivait à Trappes avec son grand frère

Florent, des policiers le confondant peut-être avec un autre l'avaient laissé à moitié mort de coups, perdant son sang dans un terrain vague. Il avait fallu un mois d'hôpital pour le remettre sur pied.

Mesketet cessa de travailler et essuya ses mains sur son cache-sexe :

— Je t'ai toujours dit qu'Il avait peur des Blancs. Depuis qu'il avait laissé le béké faire ça avec sa femme !

Elle regarda la blancheur posée comme une coiffe sur la crête si haute des montagnes et souffla :

— Si nous retournions au pays ?

Il fut saisi car elle ne lui avait jamais parlé de cette façon. Quant à lui, le souvenir de la Guadeloupe le tourmentait de jour et de nuit comme celui d'une femme aimée qu'on a laissée par caprice.

De jour et de nuit, aussi, la mémoire de Port-Louis lui revenait. Le calvaire devant la case de sa mère, la plage du Souffleur où il maronnait l'école, la mature de l'usine Beauport au-dessus de la mer des cannes. Il aurait donné n'importe quoi pour retrouver cette vie-là. Il fit :

— Retourner au pays ? Comment ? Nous n'avons pas un sou.

— On pourrait aller à l'ambassade de France ? Au consulat ?

Mesketet éclata d'un rire sans gaieté :

— Tu te prends pour une femme blanche ? Ces gens-là vont nous mettre dehors !

La chaleur de la fin de l'après-midi incendiait leurs crânes sous le matelas des cheveux. A l'entour, le paysage tremblait dans l'adoration du Soleil. Mais à mille signes encore peu visibles, on sentait que la Divinité se préparait à laisser la place à son avatar nocturne et que la noirceur allait bientôt descendre des hauteurs.

Il murmura :

– Je pourrais chercher du travail à Santa Marta ?

Ce fut au tour de Mandjet de rire :

– Qui est-ce qui te donnera du travail ? Tu ne sais même pas parler l'espagnol ! Et puis les gens par ici ne peuvent pas nous voir en peinture !

6

Oui, il avait suffi à Ute de quitter Berlin trop grande, trop majestueuse et qu'elle avait peu aimée pour se mettre à la regretter.

A la différence de Rudolf, elle ne supportait pas ce pays de chaleur et d'excessive lumière, où le corps est constamment en eau, où tout geste amène une faiblesse. A plusieurs reprises, elle avait manqué s'évanouir et l'odeur de toutes ces fleurs lui donnait la nausée comme à une femme en grossesse. Ces dévotions de l'après-midi auxquelles Aton les initiait lui étaient un calvaire. Dans sa rébellion, au lieu de se tourner comme Il le commandait vers le Soleil, elle fixait la tête des sierras dont on devinait à l'horizon la fraîcheur de glace. C'était pour arracher ce Nouveau Monde aux Indiens que tous ces conquistadores étaient sortis d'Espagne et avaient perdu leurs vies ? Belle découverte, en vérité !

Ute ne se lassait pas d'en vouloir à Rudolf et de s'en vouloir à elle-même. Pourquoi l'avait-elle suivi ? Après le séjour pour rien à la Guadeloupe, le départ pour la Colombie et l'arrivée à Santa Marta ; le Familiar, ses moustiques et ses chiures de mouches ; à présent la colonie ! Pourtant la villa de La Ceja aurait pu être belle, toute pareille à celles que l'on voit sur le papier glacé

des guides touristiques, si elle n'avait pas été complètement laissée à l'abandon. Au rez-de-chaussée, une multitude de portes-fenêtres s'ouvraient sur une large galerie carrelée de rouge où traînaient encore quelques
jarres pansues, vidées de leurs plantes ; à mi-hauteur de
la façade, un balcon courait derrière une balustrade de
fer nouée en arabesques ; un toit massif aéré de lucarnes
coiffait l'ensemble. Malheureusement, la peinture,
autrefois d'une élégante couleur bleu pâle, s'écaillait,
se couvrait à certains endroits de motifs cabalistiques
dessinés par la moisissure. A l'intérieur où tous les
meubles avaient disparu, les plafonds suintaient, gondo-
laient ou se fendillaient. Les ampoules électriques manquaient dans les appliques murales. Aussi, le soir, on
devait s'éclairer avec des torches dont la lueur tremblo-
tante ne dissipait pas les ombres des coins et recoins.
Jour après jour, Mandjet, préposée à la cuisine, préparait des pâtées de légumes du pays que rien ne venait
agrémenter puisque, comme la chair des animaux de
terre et de mer et les œufs qui abritent sous leurs
coquilles les embryons de la vie, le sel était interdit.
Parfois, elle les adoucissait avec du miel sauvage
qu'offrait un essaim d'abeilles au fond du parc ; mais
cela ne servait qu'à les rendre plus immangeables
encore.

Avec une colère sans cesse nouvelle dans son cœur,
Ute regarda Rudolf, écarlate, ruisselant de sueur, mais
abîmé en prières, les yeux fermés et les mains jointes,
les doigts rigides touchant la racine de ses cheveux.
Sans broncher, il s'était laissé affubler par décision
d'Aton de ce nom ridicule de Hapou et elle-même ne
s'appelait plus que Satamon. A cause de cette colère qui
ne se calmait pas, elle lui tournait le dos quand ils
étaient allongés sur la paillasse de leur chambre et elle

repoussait ses mains quand il essayait de la toucher. Il est vrai que, depuis leur arrivée à la colonie, il ne montrait plus aucun désir d'elle comme si d'avoir trouvé Aton le comblait.

Aton se tourna vers eux avec un geste qui ressemblait à une bénédiction. La dévotion était finie.

Sans plus attendre, Ute se dirigea vers la maison. Sous le catalpa jaune, les enfants s'occupaient à un de leurs jeux mystérieux. Malgré l'hostilité qu'elles lui avaient manifestée depuis le premier jour, Ute ne pouvait s'empêcher de plaindre ces petites filles si jolies qui grandissaient dans le dénuement le plus total, sans connaître aucun des plaisirs de leur âge. Une poupée, un livre, une séance de cinéma, une glace dans un salon de thé. Par contraste, son enfance qu'elle avait jusqu'alors crue morne entre des parents trop âgés et sans joie lui paraissait pleine de richesses. Même l'école où elle avait tant pleuré lui semblait divertissante puisqu'elle lui avait apporté la compagnie des enfants de son âge. Elle poussa la porte du vestibule. Après l'air torride du dehors, la fraîcheur et la pénombre de l'intérieur lui firent tourner la tête et elle resta un moment immobile, le dos appuyé contre le papier déteint des murs. Ensuite elle entra dans la cuisine pour s'y gorger de l'eau du robinet. L'eau était la seule denrée qui ne manquait pas à la colonie du nouveau monde !

Mesketet était debout devant une pile de bois, balançant une hache d'un air sombre. Il la terrifiait, celui-là. Non parce qu'il était repoussant ou difforme. Au contraire. Il était musclé sans excès, habillé d'un bel acajou, heureusement proportionné de sa personne. Mais à cause de cette haine qu'elle sentait en lui, aussi dangereuse, aussi explosive qu'une charge de dynamite et dont elle ne comprenait pas la raison. Que lui avait-elle fait ? Elle lui sourit bravement :

– Je te salue, Mesketet !

Il la fixa sans lui rendre son sourire, l'examina de la tête aux pieds, puis fit avec un sourire en coin :

– Je vous fais peur, pas vrai ? Le nègre vous fait peur ?

A cause de sa mauvaise connaissance du français, elle comprit très mal ce qu'il lui disait. Cependant elle perçut le mot nègre et devina le sens général des propos. Elle secoua la tête et, en s'appliquant, répondit :

– Aton dit qu'il n'y a ni Nègre ni Blanc. Tous Enfants du Soleil.

Il éclata de rire et, sans plus s'occuper d'elle, se mit à débiter le bois. Elle ne put s'empêcher d'admirer la courbe de son dos et ses muscles gonflés par l'effort.

Montant l'escalier monumental dont à présent certaines marches étaient défoncées, elle songea bizarrement qu'elle aurait aimé poursuivre la conversation avec lui ; le faire rire à nouveau, avec moins de raillerie, plus de vraie gaieté. Elle se dit qu'elle allait essayer de lui parler une autre fois.

Le seul objet d'ameublement de la chambre qu'elle occupait avec Rudolf sous les toits était une paillasse recouverte d'une couverture jaune soufre, couleur du Soleil. Elle avait beau l'aérer du mieux qu'elle pouvait, elle gardait toujours une odeur de poussière et de déjections d'animaux. A la nuit, les chauves-souris entraient par les lucarnes et, après avoir voleté sans grâce, se suspendaient tête en bas aux poutres du plafond. Rudolf les frappait à coups de bâton et leurs petits corps noirs et velus dégorgeaient du sang sur le plancher. Prise de panique, Ute se rappelait les contes de son enfance où il était question des mauvais sorts que les vampires jetaient. Elle se roula sur la paillasse et regarda la figure misérable que lui offrait sa vie.

La colonie du nouveau monde

Qu'est-ce qu'elle allait devenir ?

Elle tomba dans une sorte d'hébétude où des images de Berlin, touristiques, comme si elle redécouvrait la ville en visiteuse, revenaient défiler dans sa mémoire. Elle se trouvait au pied de la porte de Brandebourg, naufragée dans sa mangrove de pierres et regardait le Mur courir jusqu'aux deux bouts de l'horizon en essayant d'embellir sa laideur sous de pauvres graffiti. Tous les gardes bardés de mitrailleuses avaient disparu de leurs postes et elle avait la liberté de courir partout où elle le voulait. Elle se perdait dans les allées du Tiergarten couvertes d'un amas de feuilles d'automne, craquant sous ses pieds, et elle demandait son chemin aux statues de grands hommes figés dans la pierre. Elle allait admirer les vitraux de l'église du Mémorial et ensuite, elle descendait la Kurfürstendamm de toute la longueur de ses huit kilomètres. Sans transition, elle se trouvait dans le quartier Kreuzberg où les bouchers turcs exposaient dans des vitrines marquées de hiéroglyphes des amas de saucisses, de boudins et de chairs mortes. Elle se reprochait à présent de n'avoir pas assez profité de la ville ; d'avoir passé tous ses congés à dormir, à lire des magazines ou à regarder la télévision. Quand il s'était mis avec elle, Rudolf la forçait à sortir, mais elle l'accompagnait sans enthousiasme. Dimanche après dimanche, il l'emmenait au Musée des antiquités égyptiennes où il lui nommait les noms de chaque buste, de chaque figurine, de chaque statuette, en lui expliquant par le détail la vie des hommes de ce temps-là qu'Aton allait faire renaître. Un jour, il l'avait emmenée à Berlin-Est pour lui montrer tous les trésors d'art que les communistes, disait-il, avaient volés. Sans s'occuper de sa fatigue ni de sa faim, il l'avait traînée à travers le labyrinthe du musée Pergamon, si longtemps

66

qu'elle avait manqué de tomber en passant sous la porte Ischtar de Babylone. Avec lui, aussi, elle faisait des randonnées qui à chaque fois finissaient devant le Mur, comme s'il cherchait une occasion de plus pour exprimer ses idées sur le communisme. Quand il avait appris à la télévision que des manifestants s'acharnaient à le faire tomber, il était devenu comme fou et, l'entraînant, il avait couru le long des rues humides et glissantes de la pluie de novembre.

Oui, elle avait le poignant regret de ce temps-là !

Que faire ? Dire à Rudolf de la laisser retourner à Berlin ? Est-ce qu'il accepterait cet abandon, cette désertion ?

Elle ne pouvait s'enfuir toute seule, car elle n'avait pas d'argent. Elle savait que Rudolf en possédait. Mais, en arrivant à la colonie, il était bien capable de l'avoir jeté ou détruit.

Ces pensées, ces questions qui n'avaient pas de réponse bruissaient comme un vent de tempête et il lui semblait qu'elle allait perdre la tête comme Aton, comme Rudolf, comme Mesketet, comme ceux de la colonie. Car en fin de compte, ils étaient tous fous autour d'elle, fous à lier.

Comment des esprits sains pouvaient-ils prendre leurs divagations au sérieux ? La veille encore, Rudolf lui avait assuré que le gouvernement égyptien avait mis à la disposition d'Aton et de ses disciples une terre sur la rive est du Nil entre Assouan et Karnak, et qu'on attendait à présent le bateau qu'une association de fidèles de la Caraïbe devait mettre à l'eau.

La seule personne qui semblait garder sa raison dans ce lot de malades mentaux était Tiyi. En même temps, elle se montrait glaciale, intimidante, comme si elle se prenait pour la vraie épouse du Soleil.

Ute commença à pleurer en pensant à la nuit qui allait bientôt tomber. Les formes des arbres s'envelopperaient d'ombre et deviendraient autant de créatures chargées de maléfices et de dangers. L'air résonnerait de leurs chuchotements et de leurs murmures menaçants. Vers sept heures, Mesketet frapperait sur une sorte de tam-tam. Alors, les quelques membres de la colonie s'assembleraient et, après une prière d'Aton, ils mangeraient l'infâme pâtée du dîner.

Mesketet sortit sur la galerie, les deux bras et le dos rompus. Il en avait assez de travailler depuis le premier rayon de lumière jusqu'au plus noir de la nuit. Quand il ne coupait pas du bois, il sarclait; il débroussaillait; il fouillait et retournait la terre; il semait; il plantait, recueillait du miel, essayait d'élever quelques bêtes, deux ou trois chèvres données par Enrique Sabogal. (On n'avait jamais vu la vache promise.) Depuis plus de deux siècles que l'esclavage des nègres était fini, il s'était remis en esclavage volontairement.

A Matalpas, où il était responsable des basses-cours, il aimait se tuer à la peine. Car la colonie était gaie comme un enfant qui grandit dans l'affection et le bonheur de ses parents. Chaque samedi, avec quelques frères, il enfermait les poules, les poulets et les pintades dans de grands paniers de bambou tressé et descendait jusqu'à Volaille Caraïbe, une petite entreprise de Goyave dont le propriétaire, Giuseppe Florenti, tout Italien qu'il était, ne cachait pas sa sympathie pour leur foi. Giuseppe ne les payait pas avec de l'argent puisque tout commerce leur était interdit. Scrupuleux à l'excès, lui que tout le monde à Goyave et dans les environs traitait de voleur, il leur échangeait la valeur de leurs bêtes contre des plants, des engrais, des défoliants, du pétrole, du cuir, des colles pour cuir, selon les besoins du moment.

Mesketet savait bien que les frères de la colonie profitaient de ces descentes du samedi pour vendre une partie de la volaille au marché de Capesterre. Avec l'argent qu'ils se faisaient, ils achetaient des Gauloises ou du tabac. Ils se rinçaient le gosier avec un bon sec et même tiraient un coup en vitesse avec une des dames-gabrielles du bourg. Lui, ces misérables plaisirs ne l'intéressaient pas. Il ne vivait que dans l'esprit d'Aton.

Depuis sa sortie du collège d'enseignement professionnel de Port-Louis, il chômait. Sa mère avait beau user ses deux genoux à l'église tous les matins que Dieu fait, il chômait. Fatigué de flâner, un temps, il était parti en métropole où son grand frère Florent lui avait trouvé du travail dans son équipe à l'usine. Le froid, le racisme, la monotonie de l'existence, pour finir le mauvais traitement des policiers avaient eu raison de lui et il avait préféré revenir en Guadeloupe. Pour chômer de nouveau. Alors, c'était à prévoir, il avait versé dans la délinquance. Le soir, avec ses amis, armé d'un coutelas à lame aiguisée, il tailladait les pneus des voitures des Blancs à l'arrêt devant les cinémas et les bars. Car il lui semblait que les Blancs étaient la cause du malheur de tous les hommes d'une autre couleur. Les histoires de supplices que sa grand-mère disait tenir de sa grand-mère, elle-même esclave de plantation, avaient profondément impressionné son esprit. Il vivait dans les images de dos flagellés, de plaies incendiées de piment, de cous garrottés, de bras ou de jarrets coupés de ses ancêtres. Ses jours étaient assombris de pensées sinistres et ses nuits de cauchemars. Un soir, devant le cinéma La Renaissance, les policiers l'avaient saisi en flagrant délit, son coutelas à la main, et il avait passé près d'un an à la geôle de La Pointe. C'est en sortant de là qu'il avait rencontré Aton. Désormais, sa vie courait droit devant elle.

Mesketet était étonné et peu fier de l'effet qu'en secret le regard de la petite Allemande avait produit sur lui. C'était un regard apeuré, mais en même temps, persistant, audacieux et qui signifiait :

« Viens auprès de moi ! On verra bien ce que tu me feras ! »

Au premier coup d'œil, elle n'avait pas grand-chose pour elle, à part ses vingt ans ! Son caraco et son pagne ne lui seyaient pas. Sa peau craquelait, pelait à certains endroits, montrant un dessous rose pâle, tandis qu'elle demeurait laiteuse et unie à d'autres. Cependant, à la regarder une seconde fois, elle dégageait un charme acide, pénétrant, qui irradiait de tout son corps.

A côté de la maison, Mandjet lavait à grande eau à la pompe les racines qu'ils avaient fouillées. Pour la première fois, il s'aperçut que toutes ces années à la colonie sans soins pour elle-même ne l'avaient pas embellie ; qu'à trente ans, elle en paraissait bien plus, noire comme un canari qui est trop allé au feu et la peau sur les os. Il savait ce que son amour représentait pour elle, après l'enfer que lui avait fait connaître Esnard Boisfer. Mais précisément, cela lui fit tout à coup l'effet d'une chaîne trop lourde qui l'amarrait à elle pour la vie. Devrait-il jusqu'à sa mort se contenter des restes d'un autre ? Il dit avec mauvaise humeur :

– Alors, tu as une idée pour nous faire sortir d'ici ?

Elle releva la tête et vit ses yeux.

Mandjet n'avait jamais pu avoir d'enfants. Par deux fois, elle s'était crue bénie du Soleil. Puis ses espoirs avaient coulé avec des flots de sang. Dans son chagrin, elle se disait que c'était son terrible commerce avec Esnard Boisfer qui avait à jamais maudit son corps. Sa stérilité était l'ombre entre Mesketet et elle. Elle savait qu'il désirait des enfants, des garçons surtout à qui il apprendrait à marcher dans le chemin de l'existence. Elle mit son expression fermée sur le compte de ce regret qui le saisissait fréquemment. Aussi, elle proposa, très douce, pour l'amadouer :

– Nous pourrions parler à M. Sabogal !

Il haussa les épaules :

– M. Sabogal ne s'occupe pas de nous !

– Oui. Mais il doit avoir l'adresse d'Henri Gabrillot, ce Guadeloupéen qui écrit des livres. Tu te rappelles ? Il venait toujours à Maurepas !

L'écrivain Henri Gabrillot avait en effet sa maison à Maurepas et, le soir, il venait causer avec Aton. Les gens disaient que c'était simple curiosité d'écrivain devant un beau sujet de roman. Un de ces jours, on retrouverait l'histoire d'Aton entre les pages d'un livre, déformée à ne pas la reconnaître.

La vérité était qu'Henri Gabrillot s'était pris de grande pitié pour Aton. Il le voyait abandonné de tous, objet de risée de ceux qui ne se rappelaient plus qu'ils l'avaient porté aux nues peu après son arrivée, à la merci d'un béké qui prenait sa femme ! Pour lui venir en aide, il avait eu l'idée d'écrire à tous les esprits éclairés de la Caraïbe, ceux qui vantent très fort leur négritude. Mais de tout ce beau monde, seul José Rosario lui avait répondu.

Mesketet haussa à nouveau les épaules.

Tout comme Enrique Sabogal, Henri Gabrillot ne s'était jamais occupé des compagnons d'Aton. Il arrivait devant la maison du béké, descendait de voiture, caressait les chiens, passait sur les gens sans leur donner ni le bonjour ni le bonsoir et s'éloignait dans les bois avec Aton.

Mandjet plaça des racines dans une grande bassine et se dirigea vers la maison. Resté seul, Mesketet eut brusquement envie de revoir les lumières d'une ville, de regarder la télévision, de prendre un sec, tous désirs qui avaient déserté son cœur depuis des temps et que le seul regard d'une gamine rameutait. Il se dit qu'il avait trente-deux ans et l'envie de vivre.

Le ciel commençait de noircir. On ne distinguait plus guère la tête des sierras.

Mesketet savait que sur leurs flancs les Indiens arhuacos vivaient d'une vie à peine moins austère que la leur, dans la terreur de dieux cachés dans les pics et dans les lacs glacés des hauteurs. Il éprouvait beaucoup de sympathie pour ces hommes-là, eux aussi victimes des Blancs, dépossédés de leurs terres, de leur fierté d'être et de leur or. Aton avait beau parler d'Amour universel, prétendre que tous les hommes étaient enfants du même et unique Soleil, Mesketet ne l'écoutait pas entièrement et dans son cœur avait toujours fait exception pour les Blancs. Non, ceux-là n'étaient pas sortis du même ventre que le reste des humains.

Soudain, il se trouva devant Rudolf, marchant précautionneusement et tenant par l'anse un seau de crottin de chèvre. A l'aide de vieux outils qu'il avait affûtés et aiguisés de son mieux, celui-là s'était mis en tête d'entretenir le jardin. Il avait arraché les parasites qui étouffaient les plantes, coupé, taillé, élagué, émondé, préparé des boutures. Pourtant, on n'ôterait pas de la tête de Mesketet qu'avec son air par en bas il avait une autre idée à l'esprit que la culture des fleurs et des arbustes d'agrément. Il observait, guettait. Il espérait. Mais quoi ?

Le regard de Mesketet parcourut les alentours; les grilles vertes coiffant le mur gris, les haies poudreuses, les plates-bandes et les massifs désolés; au-delà de la bananeraie, la savane où gambadaient les chèvres, plus loin la touffeur des grands arbres du parc. Il se posa sans s'arrêter sur Néfertiti et Méritaton qui s'étaient juchées dans un des manguiers en dénudant leurs jambes longiformes et en lançant des invites aux oiseaux.

Qu'est-ce qui pouvait exciter si fort l'intérêt de Rudolf? Mesketet se promit de le découvrir. Au passage, il grommela un : « Je te salue, Hapou », puis continua son chemin jusqu'à la grille qui les coupait du monde. Comme un prisonnier à la geôle, il colla son nez contre les barreaux. Des adolescents passant à bicyclette sur la route ralentirent pour le regarder, puis repartirent en pouffant de rire sans discrétion. Voilà ce qu'il était devenu : une curiosité!

Pendant leur séjour au Familiar, les gens de Santa Marta jouaient des coudes pour essayer de les apercevoir. Les photographes se juchaient sur les murs ou se cachaient dans la cour. Sans plus s'en préoccuper que la vache d'un oiseau pique-bœuf posé entre ses cornes, Aton allait et venait, absorbé dans ses dévotions et son rêve personnel.

Quand avait-il commencé à douter d'Aton dans le secret de son cœur? Les premiers temps à Matalpas, il défonçait la figure de tous ceux qui malparlaient de son enseignement ou critiquaient son comportement avec Tiyi. Et puis, peu à peu, cela lui était venu. Peu à peu, il l'avait trouvé mou, se laissant ballotter par les événements, aussi incapable de conduire des disciples vers une Terre promise que de contrôler une femme dans sa maison. Le jour où les gendarmes étaient montés de

Capesterre pour l'arrêter, il n'avait opposé aucune résistance. Il s'était laissé mener comme un bœuf d'abattoir. C'était Tiyi qui avait eu l'idée d'organiser une manifestation et, pour une fois, tout le monde l'avait suivie. Les femmes avaient solidement attaché sur leur dos les enfants qui ne marchaient pas encore et pris par la main ceux qui pouvaient trotter sur leurs jambes. Elles s'étaient placées derrière leurs hommes. Puis le cortège avait pris la direction de Capesterre. Quand il avait atteint la nationale, cela avait causé un bel embouteillage! Comme il allait au beau milieu de la route sans s'occuper ni des voitures, ni des autobus, ni des camions, les chauffeurs avaient été obligés de se ranger en vitesse sur les talus et même dans les savanes. Arrivés au bourg, les hommes, les femmes et les enfants du cortège s'étaient massés devant la mairie. Le maire était sorti sur le balcon pour jurer de son innocence en mettant tout sur le dos du préfet et les supplier de ne pas faire du désordre dans sa commune. Pendant trois jours et trois nuits, ils étaient restés à prendre le soleil et aussi les grosses pluies qui arrivent sans s'annoncer. Ils étaient restés là sans parler, sans bouger. Ceux qui étaient fatigués s'accroupissaient ou se couchaient. Les femmes relevaient leur caraco et donnaient à téter aux enfants quand ils pleurnichaient. C'est le midi du quatrième jour, dans la foule de journalistes, de photographes, de reporters de la télévision, de sympathisants et de curieux de tous bords accourus de tous les coins du pays et même de la Martinique et des îles anglophones que le béké s'était amené. Il leur avait offert l'hospitalité de sa propriété de Maurepas. Et c'est à partir de ce moment-là, oui, à partir de ce moment-là que cela avait été le commencement de la fin.

7

Le tuyau de plastique à la main, les deux pieds dans la terre, Rudolf arrosait des gardénias. Les arbustes avaient retrouvé force et vigueur. A force d'eau et de soin, des feuilles vernissées s'étaient déroulées tout le long de leurs branches au bout desquelles pointaient à présent des multitudes de boutons. Encore quelques semaines et ils allaient se couronner de blanc comme des têtes de jeunes mariées. Les rosiers aussi se préparaient à ouvrir des corolles pleines d'odeur et les azalées à étirer leurs ailes mauves transparentes comme celles des papillons. Accrochées aux aisselles des arbres, les orchidées commençaient d'explorer l'écorce qui allait les nourrir. Quand le jardin serait redevenu ce qu'il devait être dans le temps de sa splendeur, Rudolf couperait des quantités de fleurs qu'il offrirait à Néfertiti. Elle s'en parerait. Comme Araxie qui enfouissait des boutons de rose ou des branches de lilas derrière ses oreilles ou les attachait au bout de ses nattes.

Araxie et Néfertiti devaient avoir le même âge. Elles étaient de même hauteur, toutes deux graciles, bombées à la poitrine et aux fesses, presque de même couleur, Araxie plus claire peut-être, d'une couleur plus dorée de fruit à maturité. Quand elles parlaient, leurs voix chantaient comme le cristal, se fêlant brusquement sur des accents de gorge un peu rauques. Toutes deux aimaient chanter; toutes deux couraient juchées sur leurs jambes de gazelles impalas; toutes deux grimpaient aux arbres comme des chats, sautaient à la corde ou dormaient, enfantines, sous l'ombrage des arbres. Toutes deux étaient sauvages et le regardaient sans sourire. Mais toutes deux ne pouvaient cacher leur curiosité devant son corps d'homme.

Depuis son arrivée à la colonie, il guettait Néfertiti de loin sans jamais l'approcher. Pas encore, pas encore. Mais à présent, le temps était venu et, la veille, il avait marqué un premier point quand elle avait accepté de sa main trois oranges bourbonnaises. Vers la fin de l'après-midi, épuisée par ses courses et ses gambades, elle se reposait sous le jacaranda. C'est là qu'il l'avait rejointe, marchant sans faire de bruit, pieds nus, et qu'il lui avait tendu ce cadeau sans prononcer une seule parole pour ne pas l'effaroucher avec le son de sa voix. Elle avait d'abord hésité. Elle avait considéré les oranges; puis elle l'avait considéré, les lèvres pincées dans une grimace songeuse. Et puis elle avait pris les fruits posés sur sa paume grande ouverte. Fort de cette victoire, tout de suite, il s'était enfui pendant qu'elle restait immobile, assise sur le tapis de fleurs.

C'est aussi comme cela qu'il avait amadoué Araxie. Petit à petit. A coups de tablettes de chocolat suisse, de caramels mous français ou de stollen de Dresde fourrés à la pâte d'amandes. Elle prenait ses présents d'un air coupable – comme si elle avait su qu'elle aurait dû les refuser –, sans lui dire merci, et puis elle les portait voracement à sa bouche. Quand il s'approchait d'elle, il faisait bien attention à ce que sa mère soit occupée dans les profondeurs de la maison et son père quelque part à la cave ou dans le jardin, car ils veillaient sur elle comme sur la prunelle de leurs yeux.

Araxie habitait le pavillon de deux pièces réservé aux domestiques tout au fond du parc, derrière le rideau des hêtres et des bouleaux. Anna Hartwich, la mère de Rudolf, n'avait pas très envie de prendre à son service ce couple de métèques arméniens immigrés de Turquie. Mais le pasteur Sartorius lui avait fait honte de son racisme. Depuis, elle n'avait pas eu à le regretter, car elle avait rarement employé deux bêtes de somme plus dévouées qui abattaient la besogne d'une armée de serviteurs.

C'est parce que ses parents étaient tellement durs à la peine qu'elle permettait à la petite Araxie de faire son travail d'école dans la chaleur du poêle de la cuisine et, si le temps était ensoleillé, de gambader partout à travers le jardin. La fillette d'ailleurs restait à sa place d'enfant de domestique, discrète, réservée, saluant très bas tous les membres de la famille Hartwich qu'elle rencontrait.

Brusquement, le visage de Néfertiti, se superposant à ces souvenirs, surgit derrière les branches des massifs. Elle ne regardait pas du côté de Rudolf. Elle faisait semblant de ne même pas le voir. Il ne fut pas dupe, mais il ne bougea pas, car le plus petit mouvement pouvait la faire fuir, et continua d'arroser ses gardénias. Elle s'approcha plus près et dit de sa voix fluette, toujours sans le regarder en face :

— Néfertiti veut une grande cage pour ses oiseaux.

Il domina le tremblement de sa voix :

— Combien d'oiseaux a Néfertiti ?

— Aucun puisqu'Elle n'a pas encore de cage.

— Hapou fera ce que Néfertiti demande.

Là-dessus, elle s'éloigna en courant et il resta dans le

grand émoi que lui avaient causé ses yeux d'étoiles, le velouté de sa peau et l'odeur si précieuse de son corps.

Était-ce Araxie ? Ou Néfertiti ?

L'eau sortait du tuyau avec un bruit de déglutition et formait une mare sur la terre.

Rudolf courut jusqu'au fond du parc comme il avait couru ce jour-là, ses pieds laissant de larges empreintes comme elles en avaient laissé ce jour-là, tandis qu'elle restait étendue sur la mousse baignant dans le sang de ses chairs déchirées. Araxie ou Néfertiti ?

Au procès, le jury lui avait reconnu des circonstances très atténuantes. Quand même, il n'allait pas frapper d'infamie un des garçons de Werner Hartwich, de la lignée Hartwich de Hanovre ! Si les filles d'immigrés arméniens viennent de Turquie pour exhiber leurs charmes impubères devant les fils de famille, était-il surprenant qu'ils y succombent ?

Araxie ou Néfertiti ?

Rudolf se prit la tête entre les mains. Dieu était un cruel qui vous obligeait à revivre les mêmes passions encore et encore ? Il était venu jusqu'à l'autre bout du monde chercher la paix de la Vraie Religion et il ne trouvait en fin de compte que la répétition des tourments d'une autre vie.

Rudolf s'adossa contre le tronc d'un manguier. Depuis qu'il avait quitté Hanovre, pendant toutes ces années, il s'était tenu dans le droit chemin. Quand, au hasard de ses marches à travers la ville, ses pas le conduisaient au sortir d'une école, il changeait de trottoir. Quand, intriguées par sa mine, des fillettes s'approchaient de lui assis sur le banc d'un parc, il se levait et partait aussitôt. A Droysenstrasse, sur le même palier qu'Ute, Mme Rumpf donnait des leçons de piano, de solfège et de chant, si bien qu'on entendait toujours dans le vieil escalier le doux vacarme de petites filles, babillant et sautillant comme les oiseaux d'une volière. Quand il les rencontrait, rigide, aveugle, il s'absorbait dans la considération du mur.

Qu'allait-il faire à présent ? Puisque Dieu le trahissait, il ne savait comment se protéger de lui-même ?

Un profond sentiment de fatalité l'envahit.

Comme un automate, à grands pas, il retourna vers la maison. Sans penser à saluer Mandjet qui pilait dans un mortier une montagne de plantains fumants, il traversa la galerie et entra dans le vestibule. Puis il gravit quatre à quatre les marches de l'escalier.

Dans la pénombre de la chambre, Ute était couchée sur la paillasse, la tête enfouie dans l'oreiller. Il s'allongea à côté d'elle sans même songer à la toucher, car depuis leur arrivée à la colonie, elle n'existait pratiquement plus pour lui.

Non loin de la propriété, à la limite des marais, il l'avait remarqué, poussait une bambouseraie. Dès le lendemain, il irait couper des bambous et il bâtirait à Néfertiti la cage qu'elle demandait. Une cage assez grande pour contenir tous les oiseaux du pays..

Elle serait haute et circulaire avec une seule porte. Il l'accrocherait aux branches du catalpa. Il y ferait entrer des canards sauvages, des pigeons, des colombes et des tourterelles. Mais aussi des ibis, des caracas, des chachalacas, des macaws, des perroquets à tête bleue ou à bec rose, des jacamars, des oiseaux siffleurs, des colibris, des aigles, des condors, des incas en tenue de grand deuil. Et, surtout, un flamant rose. Le matin, ce peuple de sujets emplumés viendrait lui manger dans la main. Au fil des heures de la journée, ce ne serait que pépiements, cris et jacassements à vous casser les oreilles. A partir du soir cependant, ce qui dominerait, ce serait le roucoulement des tourterelles.

Ute frappa à coups de poing le dos de Rudolf :
— Écoute ce que je te dis ! Je ne veux plus rester ici !
Je veux rentrer chez nous.

Il ne répondit pas parce qu'il ne l'entendit pas,
l'esprit absorbé par le souci que lui donnait sa cage.
Elle serait haute, circulaire, avec une seule porte. Il
l'accrocherait aux branches du catalpa. Oui, le soir, ce
qui dominerait, ce serait le roucoulement des tourterelles.

Devant son silence, au bout d'un moment, Ute
recommença à pleurer.

Comme chaque soir, dans la pénombre, Aton enseignait aux enfants, assises devant lui sur de petits tabourets. Fatiguées par leurs jeux de la journée, elles dormaient à moitié et l'écoutaient à peine :
— Aménophis IV, qui prit le nom d'Akhenaton, ce
qui veut dire le Serviteur d'Aton, choisit pour la véné-
ration du dieu, dans les parages d'Hermopolis, une
région protégée sur dix kilomètres par un immense
cirque au flanc de la chaîne arabique. En quelques
années, il y fit jaillir une ville. Il la baptisa Akhet-Aton,
c'est-à-dire l'Horizon du Globe, et la limita par quatorze stèles taillées à même les falaises...

Aton n'avait entamé une licence d'histoire que pour
le certificat d'histoire ancienne. Malheureusement, le
professeur ne s'intéressait qu'à la Grèce, comme il
disait, au « miracle grec », et l'Égypte était peu traitée.
Alors, il s'était mis à l'étude tout seul, s'enfermant dans
les bibliothèques, déchiffrant des manuscrits, lisant des
thèses et des travaux de doctorats savants, s'initiant
sans maître au secret des hiéroglyphes, lui que plus
tard les psychiatres prétendraient créditer du niveau

mental d'un enfant de dix ans. Il avait tout appris, tout seul. Quand il était venu à les connaître, les théories de Cheikh Anta Diop ne l'avaient pas surpris outre mesure. Oui, les premiers adorateurs du Soleil étaient des Noirs. Oui, les premiers habitants de la Terre étaient des Noirs. Pourtant, cela n'importait pas. Parce que les hommes étaient tous des frères.

Quand Aton était étudiant, bien avant qu'il ne rencontre Tiyi, il avait eu la possibilité d'un voyage en Égypte. La perspective d'une marche forcée à regarder en vitesse les pyramides, le Sphinx et la Stèle du Songe de Gizeh, le pylône du temple de Louxor, de celui de Karnak, l'idée de parcourir au milieu d'un groupe de touristes les musées du Caire l'avaient découragé. Quand il se rendrait en Égypte, ce serait en sa qualité de dieu. Hélas! au cours des années qui avaient suivi, il avait regretté sa décision de jeunesse, car il adressait en vain lettres sur lettres à diverses personnalités de l'Égypte et même au président de la République dans l'espoir d'être invité. Comme les années s'ajoutaient aux années, son cœur commençait de se décourager, quand, quatre ans plus tôt, il avait reçu une lettre d'un dénommé Hathor, chef d'une petite communauté religieuse des environs de Karnak. Déclarée hérétique par les autorités musulmanes du Caire, celle-ci n'en croissait pas moins, comptant parmi sa centaine de fidèles des Égyptiens, des Israéliens, des Jordaniens, des Algériens et même des Irakiens. Hathor offrait à Aton et à ses disciples l'hospitalité et le partage de leurs terres. Lui aussi, il avait compris que toutes les religions, sans exception, l'islam, le judaïsme, le bouddhisme, le shintoïsme aussi bien que le catholicisme ou le protestantisme entretenaient l'esprit de guerre et de division parmi les hommes et qu'il fallait revenir à l'adoration des dieux d'autrefois. Si Aton était l'Être renouvelé du Soleil, il s'inclinerait devant Lui.

Cette correspondance avec Hathor était devenue le *poto-mitan* * de l'existence d'Aton. Elle l'avait rassuré, conforté dans les heures de détresse. Quand tous l'abandonnaient, il lui restait ces fragiles rectangles de papier, noircis de paroles d'espoir qui lui parvenaient régulièrement mois après mois.

Or, à midi, un envoyé du conseiller municipal, suant sous le soleil sur sa bicyclette, était venu remettre une lettre à Tiyi. Elle la lui avait lue. Pour la première fois, Hathor exprimait la crainte de ne pas voir Aton de sitôt. Sa foi se troublait. Il se désolait de ne rien pouvoir faire pour l'aider, à part prier, sa communauté ne possédant pas autre chose que les produits de la terre qu'elle cultivait.

Depuis, le cœur d'Aton était au désespoir. Pourquoi avait-il écouté les sirènes d'Henri Gabrillot et de son ami José Rosario ? A les en croire, la Colombie commandait une flotte importante qui sillonnait les mers du monde depuis l'Amérique jusqu'à l'Afrique et l'Australie. Après un bref temps de repos à Santa Marta, bien nécessaire à la suite des déboires vécus à la Guadeloupe, ce serait un jeu d'enfant que d'y faire monter Aton et sa petite compagnie.

Apparemment, les navires colombiens préféraient transporter ouvertement du café, du sucre, du coton ou des bananes, et, en contrebande, de la cocaïne et des émeraudes. Car aucune compagnie du port n'avait répondu aux pressants appels du malheureux Enrique Sabogal, chargé d'exécuter ces beaux plans. Aton en venait à se demander si Henri Gabrillot et José Rosario

---

* Mât central d'un temple vaudou.

n'avaient pas tout bonnement rêvé comme on rêve en écrivant des livres ou voulu faire leur intéressant.

Peu après leur installation à La Ceja, José Rosario était venu de Bogotá les visiter. Henri Gabrillot avait raconté à Aton que leur fraternité datait d'un séjour à Paris où ils s'étaient tous deux rendus à la librairie Présence africaine dans l'espoir d'y rencontrer Aimé Césaire. S'ils n'avaient jamais eu la bonne fortune d'apercevoir leur idole, ils avaient fini par s'installer au Celtique, bar-tabac qui ne payait pas de mine, pour y discuter engagement et littérature, car tous deux communiaient et dans la foi marxiste et dans l'ambition littéraire. En ce temps-là, José s'essayait encore à la poésie et n'avait pas encore publié son premier roman, le meilleur au dire de tous les critiques : *El Presidente*. A présent, José était devenu, comme le répétait Enrique avec envie, un vrai *cachaco* *, depuis la pointe de ses souliers jusqu'à son veston bien coupé dans un tissu trop lourd pour la chaleur de la côte caraïbe. Il partageait au milieu ses cheveux frisés par le sang nègre et les calamistrait à l'huile de palma-christi. En dépit de ses succès littéraires, il devait être un peu aigri parce qu'il avait infligé à Aton une longue diatribe selon laquelle il n'avait pas en Colombie la place qu'il méritait, Gabriel García Márquez ayant injustement occulté tous les autres écrivains du pays. Ensuite, ses paroles s'étaient faites très rassurantes. Tout en dévorant Tiyi des yeux, il avait affirmé qu'Aton et les siens n'allaient pas passer plus de six mois à Santa Marta. Juste le temps d'une bonne publicité pour la ville et pour leurs amis qui en avaient bien besoin, avec tous les ennuis que leurs opinions politiques leur causaient.

_____

* Habitant de Bogotá.

Puis ils cingleraient vers l'Égypte, via les ports du Maghreb.

Six mois! Cela en faisait quatorze!

Dans son demi-sommeil, Néfertiti manqua tomber de son escabeau et Aton s'interrompit. Il n'appréciait pas la manière dont la fillette se tenait. Ce n'était plus une enfant! A ce que lui avait dit Tiyi, le sang avait coulé entre ses cuisses. Au temps de l'Égypte antique, on l'aurait déjà mariée à son père et elle aurait peut-être déjà été mère de fils et de filles! Or, elle ne songeait à rien de sérieux : qu'à courir, grimper aux arbres, jouer à saute-mouton, se gaver de fruits sauvages. A présent, voilà qu'elle s'endormait au beau milieu de sa leçon de théologie!

Aton se tourna vers Tiyi pour indiquer qu'il n'était pas content de la manière dont elle élevait ses enfants! Mais quand il la vit lasse et ployée sur l'inconfortable tabouret-pliant aux pieds en forme de têtes de canards qu'il lui avait sculpté, sa colère reflua, remplacée par une haute vague d'amour. Par quel mystère avait-elle accepté de lier sa destinée à la sienne ? Quand il avait osé l'aborder dans la triste cour de l'hôpital Saint-Louis, il s'était attendu à être rabroué comme il le méritait.

Absorbé par ses entretiens quotidiens avec le Soleil et la connaissance de Son grand dessein, Aton n'avait pas de place dans son esprit pour les femmes. Quand il y pensait, l'acte d'amour lui paraissait peu commode, malgracieux, à peine justifié par sa finalité : transmettre la vie. Malheureusement pour lui, cela était apparu depuis les premières heures à Montreuil, Tiyi avait du tempérament. Ainsi que le disait une vieille biguine créole que fredonnait Morena, sa mère, cette femme-là aimait l'amour comme l'abeille aime le miel, l'oiseau foufou falle vert, l'hibiscus et la bouche, le baiser. Il savait qu'avant de le connaître son corps avait supporté le poids d'hommes aux sexes raides et que tout ce commerce de la chair lui manquait. C'est pourquoi il avait passé sur toutes ses tromperies. C'est pourquoi il lui avait pardonné tous ses amants. Sauf le dernier. Car il y a des choses qu'une femme ne doit pas faire sans se dérespecter. Un béké !

Mandjet s'approcha de lui et fit une profonde génuflexion :

– C'est l'heure de penser à Te nourrir, Aton !

Il se leva.

Mandjet fabriquait avec des fruits une boisson qu'elle mettait à rafraîchir dans des potiches fermées d'un bouchon de terre. Malgré sa faible teneur en alcool, celle-ci n'en donnait pas moins à Aton la mélancolie du vin. Après en avoir bu quelques coupes, il sentit ses yeux s'emplir d'eau tiède et, prenant prétexte de ses dévotions nocturnes, il gagna le fond du parc.

Il regarda le ciel couleur d'encre de Chine, visage impénétrable de la Divinité. Que Lui avait-il fait pour mériter ce qu'il endurait ? Où et comment Lui avait-il manqué ? Alors, pourquoi continuer ? Vers quoi continuer ? Ne valait-il pas mieux rendre leur liberté à ceux qui l'entouraient ?

A Tiyi d'abord. Avant de s'emmurer dans ce silence contre lequel tous ses appels butaient, le Soleil l'avait averti : l'enfant qu'elle portait, cette fois encore, ne serait qu'une fille. Non ! Tiyi ne serait jamais mère du Soleil. Alors il suffisait de la répudier en prononçant la formule rituelle. Pas de doute, elle trouverait sans peine un homme pour s'occuper d'elle. Il s'en était aperçu, car, contrairement à ce que les gens croyaient, il savait voir ce qui se passait autour de lui ; Enrique Sabogal lui faisait les yeux doux. Elle ne le pleurerait pas beaucoup et ne garderait pas longtemps son souvenir, car, en vérité, elle n'avait pas grand-chose à regretter de lui.

Il avait à peine commencé d'instruire Hapou et Satamon. Sans plus d'histoires, ils retourneraient en Allemagne. Restaient Mandjet et Mesketet. Envers ces deux-là, il se sentait une terrible responsabilité. Il les avait déracinés, il avait fait miroiter des mirages devant leurs yeux, il avait empli leurs oreilles de promesses. Il ne restait qu'une solution. Il ferait demander à Henri Gabrillot de les rapatrier. Après cela, pour lui-même, il accomplirait la volonté du Soleil.

8

Enrique Sabogal s'éveilla à moitié d'un rêve fort
agréable. Il était avec Tiyi, débarrassée de son ventre de
sept mois. Elle était occupée à lui masser tout le corps
comme Ramona le faisait autrefois dans le bref temps
de leur amour et de sa soumission. Elle avait enduit ses
paumes de vaseline Intensive Care mêlée à de l'extrait
de fleur de frangipanier, parfum qu'il aimait depuis
tout petit car c'était celui de sa grande et adorée cousine
Lisa. Les mains de Tiyi étaient souples, fermes, tièdes
et élastiques. En le massant, elle appuyait par moments
le haut de ses cuisses contre lui. Il s'éveilla tout à fait. Il
était seul dans son lit – une fois n'est pas coutume – et
la chambre était remplie des étincelles du soleil. La
mémoire lui revint : la réalité était sombre.

La veille, le conseil municipal avait voté la décision
de ne pas verser de pension à Aton et refusé de renou-
veler le bail de la propriété de La Ceja. Tous ceux qui
avaient promis à Enrique de le soutenir n'avaient pas
tenu parole ou s'étaient abstenus au moment du vote.
Cela voulait dire que le beau grand rêve éclos dans la
tête de José Rosario et Henri Gabrillot avait vécu.
Santa Marta ne sortirait pas de l'anonymat d'une petite
station touristique en pleine déconfiture. Pour Aton,

elle n'aurait été qu'une halte malheureuse sur la route de l'errance.

Enrique se rappela ensuite qu'il devait se rendre à Cartagena pour la réunion du Comité de coordination des fêtes du quincentenaire de la découverte de l'Amérique. Or cette perspective-là aussi lui était fort désagréable ; non à cause du trajet jusqu'à Cartagena qu'avec sa BMW il comptait bien faire en trois heures, mais pour d'autres raisons. D'abord parce qu'il détestait la cité de Pedro de Heredia et sa réputation pour lui surfaite de « Joyau de la côte Caraïbe ». Ensuite, parce que, vu ses opinions politiques, il était opposé à toute célébration de ce soudard de Christophe Colomb. Il avait même écrit des articles à ce sujet dans plusieurs journaux locaux avec un seul résultat : ses ennemis en avaient profité pour rire à pleine gorge et souligner son inconséquence. Est-ce que ce communiste ne se vantait pas quand cela lui chantait d'être descendant de conquistadores ?

Il entra en vitesse dans la salle de bains, comprit, au calme de la maison, que ses trois fils étaient déjà partis pour l'école et que les servantes, qui passaient le temps à se quereller depuis le départ de Ramona, étaient au marché.

Au rez-de-chaussée, son petit déjeuner l'attendait, tenu au chaud sur une nappe étincelante. Il l'ignora. Un petit groupe était accroupi dans un coin du patio, parmi les fougères et les lataniers en pot. Différent de l'habituel lot de nécessiteux venant depuis le matin quémander du secours jusque dans sa résidence personnelle. C'étaient quatre nègres très noirs. Deux hommes et deux femmes, l'une d'entre elles tenant un tout jeune enfant dans ses bras. Sans âge. La mine digne. Les cheveux cachés sous un foulard blanc, les femmes étaient vêtues de pauvres robes de même couleur, faites d'un tissu synthétique qui s'accrochait à leurs jambes. Les hommes portaient des tuniques blanches de coupe africaine sur leurs blue-jeans. Ils le saluèrent en français et dans sa peur de deviner qui ils étaient, son cœur manqua un battement. Une des femmes dit simplement :

– Nous venons de Haïti. Nous cherchons l'envoyé du Soleil pour rester avec lui !

La colère flamba en lui. Ah non ! Des Haïtiens n'allaient pas sortir de leur pays à misères et à coups d'État pour se joindre à la colonie ! Qu'est-ce qu'on n'allait pas dire à Santa Marta ? Qu'il détournait les boat people des côtes de Floride ou de Cuba pour en encombrer la Colombie qui avait déjà son compte de problèmes ?

Il bafouilla :

– L'envoyé du Soleil, comme vous l'appelez, n'habite pas ici. Ici, c'est chez moi !

Un des hommes dit respectueusement :

– A la police, ils ont gardé nos papiers et nos valises. Et puis des policiers nous ont emmenés ici.

En un éclair, Enrique comprit qu'il ne se rendrait pas ce jour-là à la réunion du Comité et que des décisions irréversibles se prendraient sans lui. Il traversa à grands pas sa pharmacie, remplie de gens qui se poussaient du coude et parlaient tous à la fois. Une mauvaise dysenterie en ville et les peureux, les angoissés, redoutaient déjà une épidémie de choléra ! Sur le trottoir où les *fritangueras*, les vendeuses de nourriture avec leur mouchoir de tête noué au ras des yeux, étaient à leur poste, deux policiers plaisantaient avec une prostituée qui mordait à belles dents blanches dans une tranche d'ananas. Enrique reconnut le plus jeune d'entre eux, Rafaël, le fils de Jacinta, une ancienne vendeuse à la pharmacie. Il l'avait vu tout petit et le garçon le considérait comme un père. Il prit affectueusement sa main entre les siennes et interrogea :

— Que se passe-t-il ?

— Ces Haïtiens sont arrivés hier de nuit par le *Santo Domingo* qui vient de Caracas. Ils ont des passeports, mais pas de visas, pas de billets de retour. Le patron les a laissés entrer à cause de vous.

Tonnerre de sort ! Nuñez était un ami personnel et du même bord politique que lui. Il avait cru bien faire. Quand même, Enrique se demandait s'il n'aurait pas dû se contenter de respecter la loi et renvoyer ces indésirables au pays d'où ils venaient. Enrique s'installa au volant de sa voiture et, dans sa précipitation, manqua monter sur le trottoir, causant une grande peur aux *fritangueras*. Les gens le regardaient avec pitié. Vrai de vrai, le départ de Ramona lui avait complètement défait l'esprit. Les hommes sont là qui font leur faraud. Il suffit que la femme qu'ils prenaient pour leur souffre-douleur les quitte pour qu'on connaisse leur vraie nature !

Enrique traversa sans même les voir les calles sordides bordées de maisonnettes de bois entourant le cœur historique de la ville ; ces mêmes calles qu'il parcourait quelques années plus tôt, les pieds dans la gadoue et les détritus, en promettant aux habitants incrédules le bonheur et la justice. Autrefois, dans son idéalisme, il avait rêvé de les nettoyer, ces nids à prostituées, chômeurs, marginaux et débrouillards en tout genre et d'en faire des rues honnêtes. Mais dans cette vie, on a beau s'échiner, on arrive à rien !

Il klaxonna furieusement devant la villa de La Ceja et Mesketet courut lui ouvrir la grille, les deux mains

noires de terre. Tiyi se trouvait sur la galerie et faisait
voleter sans trop d'énergie la navette d'un métier à tis-
ser. Il s'inclina en bégayant et la prévint :

– Je n'ai pas de bonnes nouvelles à vous annoncer.

Elle l'écouta jusqu'au bout, sans l'interrompre, sans
rien trahir de ses pensées, puis demanda nerveuse-
ment :

– Où sont ces Haïtiens ?

Il s'approcha plus près et souffla en confidence :

– Chez moi. Un mot de vous et je les ramène à
l'immigration pour être refoulés.

Elle le regarda. Elle hésitait visiblement. Enfin, elle
dit en conclusion de sa réflexion :

– On ne peut pas faire cela.

Elle se leva et ils restèrent là, les yeux dans les yeux.
Pour la première fois, Enrique la sentait toute proche
de lui. Peut-être son rêve avait-il été prémonitoire. Il
avait l'impression que le temps n'était pas loin où leurs
relations changeraient. Peut-être que s'il la prenait
dans ses bras, elle ne résisterait pas et se laisserait
entraîner là où il le voulait. Elle répéta plus ferme-
ment :

– On ne peut pas faire cela. Il faut que vous les
emmeniez ici.

Comme si elle devinait par avance tous les arguments
qu'il allait exposer et refusait de les entendre, elle
s'éloigna :

– Je vais prévenir Aton.

Sous son apparence de calme, Tiyi était écrasée par
ce nouveau mauvais coup du sort. Alors qu'ils allaient
eux-mêmes être privés de refuge, condamnés à
reprendre la route de l'exil – mais pour où cette fois ?
Pour où ? –, voilà que de nouveaux membres venaient
se joindre à eux !

Cela voulait dire que le malheur du monde était sans fin. Il chassait les hommes devant lui. Il les poussait sur toutes les routes; même et surtout vers les impasses. Aton enseignait à Rudolf et Ute. Comme toujours, il était assis, hiératique, le dos droit, les genoux joints et les pieds posés à plat par terre :

— Dans les temples de la Ve dynastie, environ 2 500 ans avant cette ère, on Lui consacrait un monument de pierres appareillées. Il évoquait une borne dressée dont le sommet était une pointe en forme de petite pyramide. On l'appelait le *benben*.

Elle s'inclina à peine et l'interrompit :

— Il faut qu'Aton m'écoute.

S'il fut mécontent de ce manquement à l'étiquette, il n'en laissa rien voir et, d'un geste, congédia les deux jeunes gens. Quand elle eut fini de parler, il la considéra avec effroi :

— Est-ce que les Haïtiens sont venus rendre hommage à Aton, Le visiter ou bien s'installer auprès de Lui ?

— S'installer auprès de Lui à ce qu'ils ont dit !

Il resta sans voix. Puis, il leva les yeux vers le Soleil qui avait commencé sa course vers les hauteurs et déclara :

— Ils sont les bienvenus. Qu'ils paraissent devant Aton.

Après tout, pouvait-il dire autre chose ? Il était là, prisonnier, à jouer et rejouer le rôle que l'on exigeait de lui. Elle osa murmurer :

— Réfléchis bien, Aton. Nous n'arrivons même pas à manger à notre faim avec les enfants.

— Précisément. Aton ordonnera que les Haïtiens aident Mandjet et Mesketet.

Elle retourna lentement vers la maison.

Vives et gracieuses, Néfertiti et Méritaton se poursuivaient à travers le jardin. La première portait autour du cou une couronne de fleurs et avait enfoui des roses, des hibiscus et des gardénias dans ses cheveux. Tiyi l'apostropha :

— Est-ce que tu ne sais pas que les fleurs sont faites pour la beauté des arbres et des plantes ? Pourquoi est-ce que tu les cueilles ?

Brillantes, les larmes montèrent aux yeux de l'enfant et Tiyi se reprocha sa sévérité. Méritaton la regardait d'un air de blâme et dit pour excuser sa sœur :

— Ce n'est pas Néfertiti. C'est Hapou.

Hapou ?

L'esprit chargé par trop de soucis, depuis des semaines, Tiyi n'avait pas jeté une seule fois les yeux sur ses enfants. Elle ne leur enseignait plus rien. Elle se reposait entièrement sur Mandjet pour les nourrir, les baigner, frotter leurs corps d'onguent de feuillage et veiller à la propreté de leurs quelques vêtements. Ainsi Hapou s'occupait aussi de les distraire ? Elle eut honte de les abandonner à la sollicitude des autres membres de la colonie et attira la fillette contre son ventre :

— Ne m'en veux pas. Tu es assez grande pour savoir que les choses ne vont pas très bien.

Néfertiti renifla. Ce fut Méritaton qui demanda :

— Nous n'irons plus en Égypte, n'est-ce pas ?

Tiyi ne sut que répondre. Pour Néfertiti et Méritaton, que signifiait précisément ce mot d'Égypte ? Elle s'était souvent demandé comment les deux petites filles vivaient cette existence qu'on leur faisait mener depuis leur naissance. Elles semblaient sans souci, légères et joueuses. Rarement des querelles ou des bouderies. Pourtant, on ne pouvait deviner ce qu'elles cachaient dans le mystère de leur tête et de leur cœur, ni ce qu'elles savaient des autres enfants. Les envaient-elles, ceux qui portent des blue-jeans et vont à l'école pour se préparer des carrières ? Néfertiti rêvait-elle d'amour ?

Les Haïtiens n'avaient pas perdu de temps. Quelques heures après leur arrivée à La Ceja, ils avaient déjà endossé l'accoutrement de rigueur. Les femmes avaient dénudé leurs cheveux touffus, enfilé pagnes et caracos; les hommes s'étaient vêtus de cache-sexe. Tout ce monde se tenait debout docile devant Mesketet.

Il leur désigna les alentours. Quelques buttes d'ignames. Un ou deux carreaux de patates. Des pieds de manioc. Il fit d'un ton d'excuse :

— Nous n'étions que nous deux, sœur Mandjet et moi. Nous n'avons pas fait beaucoup de choses. Avec vous quatre, cela va changer !

Un des hommes, celui qu'Aton avait reprénommé Thoutmès, inspecta les contours de la terre rouge et sèche, que l'on devinait fertile :

— Ça ressemble un peu à chez nous! C'est sûrement bon pour le maïs et le petit-mil!

Une femme, la mère de l'enfant, ajouta :

— Avec l'eau qui ne manque pas ici, on fera venir toutes qualités de légumes!

Leurs yeux étaient remplis de larmes de nostalgie en pensant à la terre perdue, mais aussi de rêves. Thoutmès se tourna vers Mesketet :

— Nous autres, nous ne sommes pas des paysans. Nous n'avons jamais travaillé la terre. Mais nous te donnerons tout le secours que nous pourrons.

Intrigué, Mesketet se permit une question :

— D'où venez-vous ?

Thoutmès expliqua :

— De Miami. Nous sommes allés là quand on a renversé notre président par force. Nous sommes restés pendant des mois. Comme nous avions des papiers, les Américains ne nous ont pas mis dans les camps. Nous avons espéré, espéré! Et puis, nous avons compris qu'Haïti est perdue, gâtée. Plus rien de bon ne peut plus lui arriver. C'est à ce moment-là que nous avons entendu parler d'Aton. Sa photo était dans le journal et on disait qu'il voulait changer le monde. Alors, nous sommes venus le rejoindre. Depuis des semaines, nous sommes sur l'eau...

Il se tut. Dans ce moment de silence, Mesketet observa du coin de l'œil les nouveaux arrivants. L'autre homme, celui qu'Aton avait rebaptisé Ramosé, était plus jeune que Thoutmès d'une bonne dizaine d'années. La figure très noire, les yeux marron clair, pareils à deux trous de lumière. Les femmes se ressemblaient comme des sœurs, la grande et la petite, avec leur peau de velours et leur regard triste. Ce fut à nouveau la mère de l'enfant, rebaptisée Maat, qui reprit :

— Avant cela, nous vivions à Port-au-Prince, quartier de la Croix des Bossales. Frère Thoutmès était le chef des Fidèles du Saint-Amour et nous étions autour de lui.

Mesketet ne posa plus de questions. D'ailleurs, sauf à Aton, il était interdit de parler de son ancienne existence. Pour tous, la vraie vie commençait avec l'entrée à la colonie. Il se contenta de dire :

— Il nous faudrait d'autre coutelas, au moins trois. D'autres houes, d'autres fourchettes. Il nous faudrait aussi des engrais. Je ne sais pas comment nous allons nous procurer tout cela.

Thoutmès fit avec ferveur :

— Il y pourvoira.

Il? Le Soleil? Aton? Mesketet faillit hausser les épaules et revint vers la maison.

Le soleil continuait de monter à l'horizon et le bleu du ciel devenait plus soutenu.

Mesketet entra dans la cuisine où Mandjet mettait à bouillir des patates, du giraumon et de grandes feuilles de siguine qu'elle avait coupées dans le sous-bois près des marais. Il cria, en colère :

— Toujours sa peur des Blancs! Il a mis ceux-là à la terre, eux qui ne sont même pas des paysans. Alors que les deux Allemands sont là, qui se prélassent depuis le matin jusqu'au soir.

Elle dit, sans lever la tête, tout en coupant le giraumon de ses mains fortes :

— L'Allemand a de l'argent.

— Comment est-ce que tu sais ça?

— En nettoyant le galetas. Il faut bien que je le fasse puisqu'ils vivent dans l'ordure. Je ne sais pas combien d'argent il y a exactement. Mais c'est beaucoup. Beaucoup. J'ai vu des billets de deux cents francs et de cinq cents francs! En pagaille!

Ils parlaient tout bas comme des comploteurs, comme si quelqu'un pouvait les surprendre.

— C'est caché dans le fond d'une valise, mais j'ai pu ouvrir. Elle n'était pas fermée à clé.

Les pensées tournoyèrent dans l'esprit de Mesketet. Sans hésiter, il accepta l'idée du vol. Une fois l'argent volé, tout ne serait pas facile pourtant. Il faudrait qu'il trouve le moyen d'aller en ville, qu'il trouve la compagnie Avianca. Comment ferait-il ces démarches? Il n'avait pas d'habits, à part le cache-sexe de toile qu'il portait. Dès qu'il paraîtrait en ville, les gens de Santa Marta, déjà si curieux, s'attrouperaient autour de lui. Partout où il se présenterait, on le jetterait dehors.

Mais il avait compté sans elle qui avait déjà bâti tout un plan. Elle souffla :

— J'ai volé quelques hardes des Haïtiens. Je les ai cachées dans un ballot. Ramosé et Maat sont à peu près de la même corpulence que nous... Tu partiras d'abord, tu prendras une chambre dans un de ces hôtels de rien du tout sur le bord de la mer. Tu iras à la compagnie d'aviation et tu achèteras les billets. Au bout de trois jours, je viendrai te joindre devant la cathédrale. On ne peut pas se manquer. Je suis sûre qu'il y a des avions tous les jours pour Caracas au Venezuela...

Il admira la ruse des femmes. Pas étonnant que dans les racontars de la Bible que sa mère lui enseignait comme parole d'Évangile, la femme Eve ait tenté l'homme Adam. Une dernière idée l'inquiétait et il objecta :

— Nous n'avons pas de papiers !

Elle haussa les épaules :

— Et alors ! Ils seront trop contents de nous mettre dehors de la Colombie ! Une fois chez nous au Raizet, nous nous débrouillerons !

Chez nous, au Raizet !

Une onde de bonheur coula dans le cœur de Mesketet à la pensée de se retrouver en Guadeloupe. Dès sa sortie de l'aéroport, vite, il prendrait un autobus à la gare routière. Celui-ci le conduirait jusqu'à Port-Louis, roulant, tanguant, sur la houle des champs de canne à sucre. Au bourg, les gens s'arrêteraient sur le bord des trottoirs pour le dévisager :

— Eh, eh ! Est-ce que ce n'est pas le garçon de Luisa Perinette qui est revenu ? Celui qui était parti avec un nègre fou qui se prenait pour le Bon Dieu et le Soleil ?

Il sourirait, saluant de droite et de gauche ceux qui l'avaient connu petit. Il remonterait le chemin longeant la mer jusqu'à la croix grise sur laquelle se mourait un Christ bleu aux pieds cloués, saignant sous les arums.

Brusquement, la pensée qu'il ne marcherait pas seul dans les rues de Port-Louis vint le chagriner. Il l'avait oublié : il aurait à côté de lui cette grande bringue de Mandjet, cette négresse sans beauté, fanée avant l'âge. Les gens se moqueraient :

– C'est tout ce qu'il nous ramène de là-bas ? Non vraiment ! Ce n'était pas la peine !

Par contraste, les voisins se rappelleraient que, dans sa jeunesse, il avait fréquenté Nina, chabine à damner un saint et que tous les hommes de Port-Louis convoitaient.

Dans sa mauvaise humeur, il grogna :

– Écoute ! Il ne faut rien décider dans la précipitation. Réfléchissons encore. Cet argent-là n'a pas deux pieds pour courir. Il ne s'enfuira pas de là où il est.

Puis il sortit dans le vestibule au moment même où Ute en poussait la porte.

Les ombres des persiennes zébraient son corps qui semblait à moitié dilué dans l'air. Bien qu'il soit interdit d'opposer la moindre résistance aux rayons du Soleil, Rudolf et elle portaient des chapeaux sans formes, grossièrement tressés avec de la paille de latanier. Sans doute, Aton, toujours si pointilleux sur le rituel et que le plus petit manquement aux prières mettait en colère, leur en avait-il donné la permission ? Cette fois encore, ce traitement de faveur irrita Mesketet. En même temps, en face d'Ute, il pensait qu'elle était bien jeune, jolie à croquer avec ses cheveux que le soleil blanchissait chaque jour davantage et son teint à présent bronzé. Son caraco découvrait la bande de peau plus claire de son ventre et il se surprit à imaginer la chaleur de ses seins au-dessus. Elle le fixait avec la même expression que la dernière fois, comme un enfant, un objet qui l'attire et l'effraie à la fois. Il fit rêveusement :

– Je te salue, Satamon !

Si c'était avec celle-là qu'il descendait de l'autobus, qu'est-ce qu'ils diraient, les gens de Port-Louis ? Est-ce qu'ils n'auraient pas une moue d'appréciation :

– Pardon, pardon ! Ce n'est pas rien ce que Frantz nous ramène là, non ! C'est une femme blanche qui ne ressemble pas à ces personnes sans devant ni derrière dont trop de frères se contentent ! Elle est de première, celle-là !

Comme Ute arrivait à sa hauteur, il la questionna :

– Est-ce que tu te plais ici ?

Elle répondit prudemment :

– Oui ! Ça va !

Puis elle s'engagea dans l'escalier. Le nez en l'air, il resta là à la regarder.

9

Pas un nuage dans le ciel bleu frais repeint! Pas un souffle d'air! Le Soleil est un geôlier qui ne connaît pas le pardon.

Juché sur ses béquilles raboutées à mi-hauteur, l'oiseau géant avançait en posant précautionneusement ses pattes en éventail parmi les souches coupantes des palétuviers. En même temps, de son gros bec recourbé, il tournait et retournait la boue de la mangrove pour en filtrer les larves, les crustacés et les poissons qui y frétillaient, gros comme des têtes d'épingles. Pour les avaler, il déployait son long col de toute sa longueur et relevait la tête tandis que la paupière de son petit œil dur battait de plaisir.

Quand Rudolf avait aperçu l'éclair de son plumage, rose comme un doux rêve derrière le soleil couchant, rose comme un pétale d'arum ou d'hibiscus, l'oiseau géant était debout, immobile, les pieds dans l'eau peu profonde, le cou enroulé comme un lasso, la tête cachée sous l'aile gauche comme s'il ne pouvait pas supporter la lumière du jour.

Il avait laissé les siens qui s'étaient envolés vers la Guajira et il était demeuré seul, tout seul au milieu de la mangrove. Peut-être veillait-il sur des petits près d'éclore ?

Émerveillé, Rudolf s'était approché. Alors l'oiseau géant s'était mis à marcher comme s'il avait deviné l'intention de l'homme et, par mauvais jeu, il l'avait entraîné loin de Santa Marta, loin, loin, à des kilomètres à l'ouest.

Werner Hartwich avait conduit ses garçons au zoo de Hanovre lorsqu'ils étaient enfants. Devant les flamants roses, si mélancoliques dans leur cage, il leur avait longuement expliqué d'où venait cette surprenante couleur. D'un pigment, la carotène, qui se trouvait dans leur nourriture. Les enfants l'avaient assailli de questions. Ils voulaient savoir comment on capture les flamants roses, si on les prend à la glu ou si on jette un grand filet devant eux pour empêtrer leurs jambes et leurs ailes. Le docte Werner n'avait pas su que répondre.

A présent l'oiseau géant, la tête à moitié enfoncée dans la vase, fouillait voracement parmi les racines entassées sous l'eau saumâtre comme des ossements sous la terre. Brusquement, il étira son col démesuré, ouvrit ses ailes et se mit à voler droit vers le Soleil. En quelques minutes, il ne fut plus qu'un point perdu dans l'espace.

La déception fut tellement forte que Rudolf ouvrit les yeux dans la noirceur de la chambre déjà mêlée par endroits de la couleur laiteuse du devant-jour. Sous le toit, les chauves-souris menaient leur sabbat quotidien. Il resta sans faire un mouvement sur la paillasse, le cœur gros comme celui d'un enfant, l'image du flamant rose peinte devant ses yeux. A côté de lui, Ute dormait ou pleurait, il s'en souciait peu.

Rudolf avançait dans la construction de la cage de Néfertiti. Un après-midi, il s'était rendu jusqu'à la petite bambouseraie et il avait coupé des tiges et des

101

troncs aux bambous. Puis il les avait taillés en étroites bandes de même largeur qu'il recourbait l'une après l'autre et entrelaçait. La besogne était loin d'être facile. Parfois les tiges des bambous lui déchiraient les mains et il devait s'envelopper les doigts d'emplâtres de feuillage pour arrêter le sang. Souvent Néfertiti se cachait derrière un arbuste et le regardait travailler. Sa proximité l'exaltait. Depuis qu'il était à la colonie, Rudolf vivait dans un bonheur que troublait seulement par moments la terreur de l'acte qu'il ne pourrait pas s'empêcher de commettre. Il aimait l'enseignement d'Aton, obscur, imprécis comme la parole d'un illuminé qui seul connaît sa propre logique. Il aimait se brûler dans les torrents de feu du Soleil. En quelques semaines, sa peau s'était durcie, noircie, l'entourant d'une enveloppe sèche et craquelée. Il aimait jusqu'à la frugale nourriture que servait Mandjet. Il lui semblait que s'il avait toujours vécu ainsi, à la dure, il aurait été un autre être. Lui aussi, il n'était qu'une victime, de son milieu, de son éducation, de son monde.

Parfois, la mémoire de sa vie en Allemagne lui revenait, confuse comme la mémoire d'une vie d'avant la naissance. Après avoir quitté Hanovre, très vite à son arrivée à Berlin, il avait trouvé un emploi dans un magasin d'électroménager. Toutes les heures de la journée engoncé dans une blouse de nylon bleu, à vendre à des couples indécis et peu argentés le meilleur et en même temps le moins coûteux des lave-linge ou des lave-vaisselle. Ses camarades de travail l'évitaient. Ils s'écartaient de la table où il déjeunait d'une saucisse ou de l'arrêt où il attendait patiemment l'autobus. Sans trop savoir pourquoi ils se méfiaient de lui ou en avaient secrètement peur. Cela se voyait qu'il

102

sortait d'un mauvais coup! Cette solitude convenait à Rudolf qui passait le plus clair de son temps enfermé dans sa chambre, lisant des livres et des revues consacrées à la politique ou la religion, ses deux passions depuis le lycée. Il avait son idée sur le monde : l'idéologie l'avait perdu; la religion pouvait le sauver. C'est ainsi dans une revue consacrée aux sectes qu'il avait fait connaissance avec la religion d'Aton. Tout de suite, il avait compris que cette parole-là, venue de si loin, de l'autre bord du monde, lui était destinée. Pour lui, elle disait que chacun d'entre nous ne doit pas s'étonner de commettre des actes irréparables et pervers. Elle disait que chacun d'entre nous est entraîné malgré lui dans la grande perdition de l'humanité. Il fallait revenir au temps d'avant. Au temps premier de l'innocence!

Il se leva et marcha vers une des lucarnes restées grande ouverte pour laisser entrer la fraîcheur. Quelque part dans la noirceur, le Soleil se remuait comme un dormeur qui a trop dormi et éclaboussait le ciel de longues traînées de lumière. Encore un peu et il allait apparaître souverain au-dessus de la tête enneigée des sierras. Baissant les yeux, Rudolf aperçut la frêle silhouette d'Aton se rendant à ses dévotions et il décida de le rejoindre.

La grande maison s'éveillait tout doucement. Au premier étage, dans la chambre qu'occupaient les Haïtiens, l'enfant rebaptisé Maya par Aton pleurait et l'on entendait la voix apaisante de Maat, sa mère. Au même étage dormaient Mandjet et Mesketet. Cette troisième porte ouvrait sur la chambre de Néfertiti et Méritaton.

Le cœur battant, Rudolf s'arrêta un long moment, le torse appuyé contre le bois. Yeux clos, il imaginait un corps gracieux, à peine mature, dénudé dans l'indiscrétion du sommeil. La tête lui tourna et il manqua tomber de désir. Il parvint à se calmer et s'engagea dans l'escalier.

Le jardin tout entier exhalait sa prière au Soleil levant. Les corolles des fleurs s'ouvraient à peine que déjà les foufous glissaient leurs lances à l'intérieur des étuis de leurs chairs. Raides comme des piquets, des merles en linge noir, des oiseaux piqueurs ou frappeurs en habit d'Arlequin se perchaient sur les branches basses des arbres. Un cortège de fourmiliers déambulaient dans une allée à la recherche de leur proie préférée. Rudolf rejoignit Aton au fond du parc. Au bruit de ses pas, celui-ci se retourna et Rudolf reçut en pleine figure l'expression désespérée de ses yeux. Il bégaya la première salutation :

— Je te salue, Aton! Je suis venu prier avec Toi Ton double Rê-Harakhty qui se réjouit à l'horizon dans son nom de Lumière solaire qui apparaît dans le Globe solaire.

L'autre marmonna la réponse rituelle, puis se détourna, élevant ses mains jointes jusqu'à sa bouche. Pour la première fois, Rudolf s'interrogea sur Aton. Il ne l'avait jamais pris tout à fait pour ce qu'il prétendait être. Mais pour un de ces saints, de ces utopistes confiants dans leur utopie qui font tourner dans le bon sens la roue du monde. Voilà qu'Il révélait un cœur rempli de souffrance et d'angoisse. Pourquoi ? L'avenir de la colonie n'était-il pas assuré ?

Enrique Sabogal avait apporté des semences. Grâce aux bras de Mesketet et des Haïtiens, la terre de la colonie allait verdoyer. Les trois hommes avaient mis en culture une partie de la propriété, autrefois en friche, qui s'étendait vers les marais. Chaque matin,

les lames de leurs coutelas arrachaient des éclairs au
Soleil. Les femmes, quant à elles, dénudaient les
colonnes droites de leurs jambes et portaient des seaux
d'eau. La chevelure des pois d'Angola et du maïs rem-
plaçait celle plus touffue et rêche des épineux et des
mauvaises herbes. Deux chevreaux étaient nés et leurs
mères traînaient par le jardin leurs pis lourds comme
des seins de femme.

Demain ?

Il ne fallait pas avoir peur de demain. Il fallait
vivre dans le moment, même si sa paix allait bientôt se
briser en mille morceaux.

Tiyi s'éveilla au fond d'une mare. Sa couche était
trempée; son sang, coagulé sur ses cuisses, s'effilochait
le long de ses jambes jusqu'à ses chevilles. Elle essaya
de se redresser, mais ressentit une telle douleur dans le
bas de son ventre qu'elle hurla. Une pensée palpita
dans sa tête :

– Je vais mourir.

Seule. Toute seule. Comme sa mère dix ans plus
tôt. Sa mère à qui elle avait refusé le dernier baiser.
Puis elle pensa dans la même panique :

– Mon enfant va mourir.

A cette minute elle comprit combien elle tenait à son
enfant. Cet enfant qui, depuis quelques jours, elle
l'avait remarqué, ne remuait plus en elle. Elle arriva à
s'asseoir sur sa paillasse, à se lever, libérant une eau
brûlante qui coula à ses pieds. Elle se dit :

– J'ai mérité de mourir.

Car la mort a sa justice. Elle termine quand elle le
veut l'existence des impies. Tiyi vacilla et manqua
tomber. Pas un meuble dans la pièce auquel se raccro-

cher. Elle commença sa marche, zigzaguant comme si elle traversait une rivière à gué. Au bout de quelques pas, la sueur brouillait sa vue. Elle finit quand même par atteindre la porte et l'ouvrir. Mais alors, son corps lui refusa tout service et elle s'effondra sur la terrasse.

10

Entre eux, ils parlaient le créole de leur terre natale, la terre d'Haïti. Ramosé jeta son coutelas à terre :

– Cet homme-là nous trompe. Il n'est pas ce qu'il dit qu'il est. Moi, je vous dis que c'est un fou.

Les autres le regardèrent, en clignant des yeux sous le soleil. La matinée avait à peine commencé, mais à débroussailler depuis le lever du jour une bande de terre sans fin, ils étaient déjà en eau. Thoutmès fit doucement :

– Tu sais, toi, si c'est folie qui est sagesse ou sagesse qui est folie ?

Sans lui répondre, Ramosé poursuivit :

– Est-ce que papa Makandal, papa Boukman et tous nos vaillants sont morts pour que nous continuions à travailler comme des esclaves pour des Blancs ?

Thoutmès protesta, car il trouvait toujours que Ramosé allait trop loin :

– Il ne s'agit pas de cela.

Ramosé se décida à lui répondre et fit sauvagement :

– Il s'agit de quoi alors ? Tu ne l'as pas entendu hier encore ?

Il imita à la perfection les manières d'Aton :

– Hapou et Satamon sont deux Êtres supérieurs,

renouvelés pour l'adoration de la Divinité. Nous, nous sommes tout juste bons pour travailler, travailler encore et toujours comme nos ancêtres d'Afrique. Sa nouvelle Humanité, c'est la vieille histoire qui recommence.

Les deux femmes s'accroupirent par terre. Maat détacha Maya de son dos et lui tendit son sein. Mais l'enfant rit de ses dents naissantes et se mit à jouer avec le mamelon de sa mère. Elle dit à son tour :

— Moi, ce qui m'a fait réfléchir, c'est comment il est depuis que sa femme est malade. Si ce n'était pas Hapou, il ne ferait même plus les prières.

Thoutmès demanda avec la même douceur :

— Est-ce que tu lui reprocherais de trop aimer ? Est-ce que tu ne sais pas qu'aimer Dieu, c'est L'aimer dans Ses hommes ?

Elle persista, butée :

— Si pour lui, la mort ne veut rien dire, pourquoi est-ce qu'il est dans cet état-là ? On dirait un zombie !

Thoutmès se tourna vers l'autre femme, Nakhtmin, qui n'avait pas encore prononcé une parole. Il connaissait la profondeur de ses silences et attachait beaucoup de prix à son jugement.

— Qu'en penses-tu, toi ?

Elle leva les yeux vers lui et déclara comme à regret :

— Je suis du même avis que Ramosé et Maat. Il n'est pas ce qu'il dit qu'il est.

Ramosé s'assit à son tour d'un air de soulagement et de triomphe, car lui aussi il avait redouté le jugement de Nakhtmin. Thoutmès murmura après un silence :

— Qu'est-ce que vous voulez faire à présent ?

Dans le désarroi, ils se regardèrent. Retourner en Haïti où la mort n'arrêtait pas de faucher ? S'ensevelir dans les neiges de New York ou de Montréal ? Affronter les camps de concentration de Miami ? Car il n'y avait pas d'autre solution.

Dans leurs cœurs, la dernière flamme de l'espoir s'était éteinte comme celle d'une bougie dans une cathédrale sans fidèles. Ils se rappelaient la ferveur de la campagne électorale, la fièvre du jour de l'élection, l'ivresse de la victoire et des mois qui avaient suivi. Tout cela pour rien. Pour rien.

C'est par ruse que Ramosé, qui en ce temps-là s'appelait Roger, était entré un dimanche à la chapelle des Fidèles du Saint-Amour. Depuis longtemps, il ne croyait plus trop à la prière, ayant vu son père et sa mère gaspiller leur pauvre argent en cérémonies inutiles aux *loas*. En réalité, il poursuivait Fleurlise dont il convoitait le corps appétissant depuis qu'il l'avait aperçue au sortir d'une petite école de couture du quartier. Fleurlise était toujours vêtue de blanc depuis son mouchoir de tête jusqu'à ses chaussures de tennis, et les gens assuraient à Roger qu'il perdait son temps. Elle était en ménage avec un ancien *prêtre savane* qui se faisait appeler frère Amour, fort connu des enfants des bidonvilles qu'il visitait régulièrement. Ceux-ci l'appelaient plus simplement « *Lanmou-Lanmou* », du titre d'un zouk à succès. Malgré ses bontés, la situation personnelle du frère Amour était surprenante. En même temps que Fleurlise, il vivait avec Marta, une négresse dont, un temps, tout le monde avait connu les vices.

Ménage à trois? La conclusion ne parut plus si simple quand, ayant collé leurs yeux aux interstices de la tôle, les voisins eurent déclaré que Fleurlise et Marta s'aimaient comme mari et femme.

Alors? Alors?

Tout cela n'empêchait pas les fidèles de se presser dans la chapelle du Saint-Amour à tous les services, car, à la différence des prédicateurs qui ne se soucient que des délices de l'autre monde, de la bouche du saint frère tombaient des paroles qui faisaient naître le désir d'agir. On disait que le père candidat aux élections présidentielles et lui s'étaient connus enfants jouant dans les mêmes dalots. On disait aussi qu'ils avaient étudié dans le même séminaire avant que frère Amour en soit renvoyé pour ses excès d'amour. Ce qui explique pourquoi la chapelle des Fidèles du Saint-Amour devint plus tard un quartier général de la campagne électorale.

Les gens du quartier de la Croix des Bossales renoncèrent à comprendre quand Roger se joignit au trio formé par le saint frère et les deux femmes. Bientôt le nouveau quatuor partagea ses journées entre les prêches religieux et les discours électoraux. Parce que pour ce qui était de ses nuits, mieux valait ne pas y songer! Les gens ne cessaient pas de s'ébaudir. Voilà deux mâles crabes qui restaient dans le même seul trou! Qui faisait l'amour avec qui? Qui était le papa du gros garçon que Fleurlise mit au monde un matin de juillet?

Mystère et boule de gomme!

Thoutmès murmura :

— Le Bon Dieu n'aime pas l'hypocrisie. Si c'est ainsi que nous pensons, est-ce que nous ne devons pas lui dire ce qu'il y a dans le fond de notre cœur?

Ramosé secoua la tête :

— Cela ne servira à rien!

Thoutmès le regarda avec agacement :

— Qu'est-ce que tu proposes?

Ramosé se leva de toute sa hauteur de grand nègre bien découplé et déclara :

— Il faut le quitter.

— Le quitter?

Partir? Nahktmin et Maat relevèrent la tête, perplexes. Ramosé commença d'expliquer ce qu'il avait

110

dans l'idée, s'enflammant au fur et à mesure qu'il parlait :

— Écoutez ! Il y a de la place pour tous par ici, le pays est beau, la terre fertile. Formons une nouvelle colonie. Dès ce soir, nous ne dormirons plus dans la maison. Nous nous retirerons dans ce bois-là. Nous couperons des branches et dès demain, nous nous mettrons à bâtir une case. J'ai grandi à Jérémie. Avec l'aide de Dieu, je saurai bien la mettre debout !

Thoutmès railla :

— Et tu dis que c'est lui qui est fou !

Mais Nakhtmin intervint :

— Laisse-le finir de dire ce qu'il a à dire !

Entre les deux hommes, cela avait toujours été son rôle. Prévenir les désagréments. Quand ils étaient en Haïti, dernier venu dans la petite communauté, Roger s'irritait de la place particulière qu'y occupait frère Amour. Pour Fleurlise comme pour elle en effet, avant d'être un amant, frère Amour était un aîné, un guide qui les consolait l'une et l'autre des peines de l'existence à Port-au-Prince. Roger ne supportait pas les sentiments qu'elles se portaient et aurait bien préféré être leur seul et unique maître. Chaque jour, elles devaient lui répéter, comme à un enfant à l'école, ce qu'Amour veut dire.

A présent, Ramosé, tout content de l'approbation des deux femmes, tonnait :

— Je n'ai pas peur. J'irai trouver Aton. Je lui dirai : « Toute peine mérite sa récompense. Tout travail, son salaire ! Voilà des semaines que nous sommes ici, des semaines que tu nous prends pour tes nègres. Nous suons sous le Soleil pour t'engraisser, toi et tes Blancs. Donne-nous un morceau de terre. Donne-nous une part de ce que nous avons récolté ! »

Thoutmès questionna :
— Et s'il te dit non ?
Ramosé le défia du regard :
— Il ne pourra pas me dire non !
Cela tournait à l'affrontement entre coqs de combat. Les femmes s'éloignèrent et cherchèrent l'ombrage. Dans le dos de Maat, Maya s'était endormi.

Nakhtmin ne pouvait pas faire d'enfants et c'était sa grande douleur. Dans le temps, elle avait pris tellement d'hommes qu'il lui était venue une maladie qui l'avait tenue des mois couchée sur un lit d'hôpital. Ses cheveux tombaient par poignées. Ses dents remuaient dans ses gencives. Ses yeux ne voyaient plus le grand jour et ses oreilles n'entendaient aucun bruit. Même plus la parole des humains. Les médecins avaient baissé les bras et la laissaient mourir sans soins quand frère Amour par ses prières l'avait ramenée à la vie. Une fois guérie, elle s'était mise en ménage avec lui. Désormais, elle l'accompagnait dans tous les endroits de souffrance qu'il visitait. A côté de lui, elle donnait aux pécheurs le dégoût des péchés qui avaient causé la laideur du monde. C'est ainsi qu'elle avait fait la connaissance de Fleurlise et que l'amour avait allumé son feu entre elles.

Comme elles atteignaient les arbres du sous-bois, Nakhtmin et Maat aperçurent Mandjet, une bassine sous le bras, cherchant tête baissée des plantes. Nakhtmin s'étonnait que les prières d'Aton n'aient pas encore sauvé Tiyi. De quelle laideur étaient les péchés de cette femme pour résister à la grâce de Dieu ? Elle n'était pas loin de penser que c'était là le signe tangible qu'Aton était dans l'erreur et que son message n'était pas celui de la Vérité. Depuis son arrivée à la colonie, Aton ne lui avait pas fait divine impression avec son bégaiement et ses manières rigides. Elle ne pouvait s'empêcher de comparer ses paroles avec celles de Thoutmès du temps qu'il était frère Amour. Car la parole est un cheval qui soulève dans sa course la poussière molle qui recouvre les cœurs. En l'entendant, les grabataires prenaient leurs grabats sous leurs bras et se levaient tout droits, debout, en chantant les louanges du Seigneur. Quand elles étaient seules, Nakhtmin posait la question à Maat : est-ce qu'un berger comme Aton pouvait conduire son troupeau vers le salut ? Depuis la maladie de Tiyi, il faisait pitié. Il ne se comportait ni comme un dieu, ni comme un homme digne de ce nom. Toute la journée, l'eau de ses yeux coulait en rigoles le long de ses joues. Il avait perdu cette raideur de maintien qui le faisait ressembler à ces statues antiques qu'on voit à la porte des temples et il restait du matin jusqu'au soir sous sa bâche, affaissé, les yeux dans le vide, pareil à un mort-vivant, incapable de porter ses aliments à sa bouche et, plus grave encore, incapable de se rappeler les dévotions et les actions rituelles de la journée.

Est-ce ainsi qu'est l'au-delà ? Cette lumière dont l'éclat blesse les yeux, c'est donc la sienne ? Quelles sont ces ombres qui passent et repassent sans arrêt ? D'où vient ce bruit de paroles confus aux alentours ? Non, ce n'était pas l'au-delà ! Cette douleur continue dans son corps souffrant la rattachait à la terre.

Tiyi s'agita. Qui tournoyait autour de sa couche ?

Petite fille, elle était toujours couchée, toujours malade. Toux, fièvre, palpitations. Septembre et ses pluies amenaient le paludisme et les refroidissements. Juin et sa sécheresse, les allergies. Miraculeusement à l'adolescence, tout ces maux avaient pris fin et elle était devenue une robuste plante, l'orgueil de sa mère. Alexis prétendait que c'était le résultat de toutes ces neuvaines qu'elle avait faites et de ces messes qu'elle avait commandées au R.P. Altagras, le curé de Massabielle. Mais grand-mère Lameynard riait en douce. Elle le savait bien que c'était à cause des grands bains qu'avait prescrits Maëva, la dormeuse.

Toutes ces potions qu'on lui donnait à présent à avaler, tous ces cataplasmes qu'on lui posait sur le ventre, toutes ces frictions brûlantes comme le feu ou froides comme la glace battaient pour Tiyi le rappel de son enfance. Elle se croyait ramenée au bon temps d'avant, quand Alexis la prenait dans ses bras et la soulevait comme une plume pour changer les draps mouillés sous elle. Quand elle commençait à retrouver des forces, Alexis s'asseyait à la tête de son lit et lui chantait des chansons. Toujours les mêmes. Des romances, de vieux airs de tangos sur lesquels elle avait dansé dans sa jeunesse. « La Cumparsita. » « Adios pampa mía. » Et surtout celui-là qu'elle aimait tant :

> *Amado mio, donne tes lèvres*
> *Et dans la fièvre,*
> *Attends ce soir.*

C'est dans un bal titane * qu'elle avait rencontré Doudou. Il lui avait fait un grand honneur en lui demandant de l'épouser, car elle n'était pas de bonne famille. Mais elle l'avait ensorcelé comme elle devait ensorceler tout le restant de la famille. Car les Lameynard n'avaient gardé que le nom de leur ancêtre béké et

---

* Bal de l'après-midi.

au milieu de leurs peaux noires de nègres kongo, elle brillait comme le soleil.

Tiyi s'agita et une forme s'approcha d'elle, en bougonnant :

– Depuis le temps, la fièvre aurait dû tomber quand même!

Mandjet? Voyons, en ce temps-là, il n'y avait pas de Mandjet ni de Tiyi. Seulement Tanya Lameynard, promise à un grand avenir.

Un jour, rue Blanche, un jeune homme qui l'avait écoutée lors d'une répétition était venue la trouver. Arnaud. C'était un auteur dramatique antillais qui s'était attiré un certain renom avec une pièce sur le racisme jouée dans les coulisses du festival d'Avignon. Les journaux blacks aimaient à le photographier avec ses mèches de rasta et sa posture rebelle. Il l'avait invitée au Café des Artistes et lui avait fait part de sa foi en la nécessité d'un théâtre pour les Noirs, pensé par les Noirs et parlant des Noirs. Le soir même, après lui avoir fait l'amour, il avait commencé d'écrire pour elle une pièce qu'il avait intitulée *Propos d'une sourde-muette*. Car est-ce qu'elle n'était pas sourde et muette, privée de rôles à sa qualité dans ce monde blanc, incapable d'exprimer la vérité vraie cachée en elle? Aux amis, il lisait des extraits du monologue de la sourde-muette et c'était le délire! Seule Tanya faisait la fine bouche. Elle trouvait le rôle bien emphatique, bien schématique. Et puis, Arnaud devait-il l'enfermer dans ces propos militants? Ils n'étaient pas faits pour elle. Sourde-muette? Elle ne se voyait pas ainsi. Finalement, après des mois de discussions, Arnaud et elle s'étaient séparés. L'automne suivant, couverts d'éloges par les journaux *Black* et *Libération*, les *Propos d'une sourde-muette* s'étaient joués dans un petit théâtre de la rue Louis-Braille. Ils avaient consacré une jeune comédienne ivoirienne, Jeanne Toumgana. Cet épisode de sa vie intriguait fort le Dr Timon.

— Qu'avez-vous ressenti, demandait-il avec insistance? Du dépit? De l'envie?

— Non. Non. Cela m'était bien égal. Car ce n'était pas ce que je voulais.

— Que vouliez-vous?

— Ce que je voulais?

Tiyi émit un long gémissement. La douleur qui ne lâchait pas son ventre remonta brutalement jusqu'au cœur. Ce qu'elle voulait? Que voulait-elle?

La mouette est un oiseau blanc qui vole au voisinage des côtes. Les oiseaux de même plumage s'assemblent. On doit vivre avec les siens. Est-ce qu'elle ne savait pas cela?

Elle avait pris l'habitude de se rendre au théâtre chaque soir pour détailler le jeu des comédiennes. Pourquoi celle-là est-elle là? Est-elle meilleure que moi? Sa conviction était que son jeu surpassait celui de toutes les autres. Mais les metteurs en scène n'avaient pas d'yeux pour le voir?

La douleur fut telle qu'elle s'éveilla tout à fait. Non, ce n'était pas l'au-delà. Ce n'était pas non plus le cabinet du Dr Timon avec, sur les murs, ses affiches et ses diagrammes et, tassé dans un fauteuil, son grand corps bienveillant. Elle reposait dans la chambre nue de La Ceja, sur sa paillasse, les jambes surélevées par un tas de couvertures. Sous elle, elle sentait la moiteur et la tiédeur du sang. Comme Mandjet lui présentait un bol, elle bégaya :

— Mon enfant?

Le visage toujours grognon de Mandjet se renfrogna encore :

116

– Si Tiyi laisse Mandjet la soigner avec l'aide du Soleil qui seul permet la vie, tout ira bien!

Tiyi but docilement la potion amère, puis promena la main sur les contours affaissés de son ventre, comme si elle espérait une réponse de son enfant à sa caresse. A quel moment s'y était-elle attachée? La grossesse lui était venue par surprise. Aton et elle n'avaient pas fait l'amour depuis des années, pratiquement depuis la naissance de Méritaton, quand un jour, revenant de ses dévotions de l'après-midi, il l'avait rejointe sur la paillasse. Ses yeux étincelaient. Tout son corps irradiait la chaleur du Soleil qu'il venait d'adorer. Sans prononcer une seule parole, il l'avait prise contre lui et l'avait pénétrée avec une vigueur dont il avait rarement fait preuve, même aux premiers moments de leur union. Elle avait été trop saisie pour éprouver du plaisir. Ensuite, elle s'était interrogée. Qu'est-ce que cela signifiait? Ils vivaient depuis quelques mois à Santa Marta où le monde entier semblait les oublier comme s'ils étaient déjà jetés et à moitié pourris sous la terre. A force d'y réfléchir, elle avait pris cet acte comme la confession d'un désespoir qui ne pouvait pas s'avouer. Un mois plus tard, comprenant qu'elle était enceinte, elle était restée confondue devant la raillerie du destin. Ainsi, un acte de désespoir avait donné la vie.

Tiyi avait toujours subi la maternité. Sa vie était trop incertaine, trop pleine d'inconfort et de soucis pour qu'elle puisse la désirer. Pourtant c'est avec un certain bonheur qu'elle avait serré contre sa poitrine Néfertiti, puis Méritaton. Elle s'émerveillait. C'était elle, oui elle, bonne à si peu de chose et qui n'avait jamais rien réussi dans l'existence, qui avait créé ces petits chefs-d'œuvre. Elle pouvait rester des heures entières à les regarder endormies dans leurs berceaux. Mais à présent que la noirceur de la fin se profilait, que signifiait donner la vie ? Plus rien ne la retenait à Aton ; plus rien ne maintenait leur couple en vie. Qu'Aton n'ait jamais manifesté grand goût pour l'amour ne l'avait pas contrariée. Est-ce qu'on imagine un dieu que les besoins de la chair tourmentent comme le restant des mortels ? Cette indifférence était en harmonie avec sa haute ambition. De la même manière, qu'il ne prenne pas ses infidélités en considération lui paraissait noble, car un adulte ne se mortifie pas des caprices d'un enfant. C'est pourquoi elle n'avait jamais compris pourquoi ses relations avec le béké l'avaient mis à l'agonie. Pourquoi ? Dans ce cas, qu'y avait-il de changé ? Lui qui se disait au-dessus des races, lui qui se disait hérault d'un monde renouvelé où tous les hommes seraient sans couleur, unis les uns aux autres comme les doigts de la main, en fait, il gardait cachée la sensibilité de l'esclave dont le maître a pris la compagne.

Pourtant, elle était excusable.

Dans le désarroi qui avait suivi l'arrestation d'Aton et la débandade de la colonie, le béké Armand Marie de Sidonie, coiffé de son panama blanc, lui était apparu comme un sauveur. Il lui avait offert un toit ; il avait offert un toit à ses enfants ; il avait offert un toit à tous ceux qui voulaient la suivre. En échange, il ne lui demandait qu'une chose sans grande valeur à ses yeux et cela, avec l'emportement d'un tout jeune homme.

Cependant le béké Armand Marie de Sidonie n'était plus de première jeunesse. Les gens disaient qu'il était né le dernier dimanche de l'année 1910 en prenant la vie de sa mère. Ce jour-là, deux planètes se croisaient dans le ciel : Saturne et Orion qui donnent aux chevaux de sang la rapidité à la course et aux hommes la vigueur virile. Mais Armand Marie de Sidonie savait aussi être doux comme celui qui n'a jamais connu le baiser de sa mère et le cherche sur la bouche de toutes les femmes. Aussi, ces amours à Maurepas, amours maudites aux yeux de tous, conservaient-elles une place particulière dans la mémoire de Tiyi.

11

Ce fut Méritaton qui vint lui ouvrir la grille et l'enfant avait mine si funèbre qu'il se demanda de quoi elle souffrait. Enrique Sabogal rangea sa belle voiture sous un fromager et tira du coffre les outils qu'il avait apportés : deux houes, deux fourches, quelques serpettes. En son cœur, il éprouvait une sorte de compassion mêlée à une réelle colère. Au long des siècles, par leur ingéniosité, les hommes avaient inventé des machines pour se libérer de la dure servitude de la terre. Pourquoi ceux-là s'obstinaient-ils à rompre leurs corps sous le Soleil ? Pour recommencer une histoire de l'humanité, faut-il mépriser, ignorer le progrès technique ? Rêverie de poète de prétendre que la technologie pervertit l'homme ! Au contraire. Elle l'élève au-dessus de l'animal. Elle lui procure le loisir d'améliorer les ressources de son esprit. Enrique Sabogal était un partisan résolu du développement, comme tout bon marxiste.

Hésitante comme une gazelle, Méritaton s'approcha de lui et il lui sourit :

– Tu es seule ce matin ? Où est ta grande sœur ?

Il adorait les petites filles, regrettant que Ramona ne lui ait donné que des garçons brigands et peu faciles à mener.

Les larmes brillèrent aux yeux de l'enfant :

– Néfertiti ne joue plus avec Méritaton depuis que Néfertiti a ses oiseaux. Hapou a donné à Néfertiti des fourmiliers à tête jaune. Hapou a promis à Néfertiti un flamant rose.

Un flamant rose ? Et puis quoi encore ? Décidément, saints ou pas, ces étrangers étaient tous les mêmes. Pour eux, la Colombie n'était qu'un grand *Livre de la jungle* avec des macaws, des quetzals et des toucans postés derrière chaque buisson. Enrique caressa la joue de Méritaton, ronde, douce et tiède comme une prune café et l'interrogea paternellement :

– C'est pour cela que tu es triste ?

L'enfant éclata en sanglots :

– Tiyi est malade. Peut-être que Tiyi va mourir.

Immédiatement, se rappelant les propos de Schultz, Enrique Sabogal se sentit si faible qu'il s'adossa au capot de la BMW. Tout son être se nouait d'angoisse. Il parvint à bredouiller :

– Malade ? Comment cela malade ?

Pour toute réponse, Méritaton pleura plus fort et il se mit à la secouer dans tous les sens comme un arbre fruitier pour faire tomber de sa bouche des explications. N'obtenant aucun résultat, il lâcha son bras et souffla :

– Où est-elle ?

L'enfant désigna la maison. Retrouvant les jambes de sa jeunesse, Enrique Sabogal se mit à courir comme il n'avait pas couru depuis qu'il était adolescent et qu'il battait tous ses condisciples au 400 mètres. Il déboula sur la galerie et envoya valser la porte de la chambre.

Dès le seuil, l'odeur du sang et de la chair en décomposition remplit ses narines. Tiyi était étendue sur la paillasse par terre, et une couverture couleur de soufre grossièrement tissée ne cachait pas ce qu'elle était devenue : un corps squelettique, un paquet d'ossements sur lequel reposait la prééminence obscène d'un ventre. A l'entrée d'Enrique, Mandjet, qui se tenait en prière dans un coin de la pièce, se précipita pour l'arrêter, mais il l'écarta avec violence et s'agenouilla à côté de la paillasse tandis que sa bouche marmonnait des paroles sans suite ni signification. La mort avait déjà remodelé la figure de Tiyi, la fouillant, la creusant, la rendant en tout point pareille à celles des momies d'Égypte que l'on retrouve sous l'or des sarcophages.

Enrique sanglotait comme un enfant. Si, à cause de ces fous qui se prenaient pour des dieux et des saints, elle était passée sans soins dans l'autre monde, ah ! il le leur ferait payer ! Il les traînerait devant les tribunaux. Il leur ferait connaître des geôles dont les portes demeurent closes à jamais.

Brusquement, Tiyi ouvrit les yeux. Des yeux aveugles. Des yeux sans regard et en même temps illuminés par l'éclat malsain de la fièvre. Un étrange sentiment de culpabilité envahit Enrique. Il avait toujours adoré les femmes noires. Pour lui, l'herbe rétive de leurs cheveux, l'éclat de leurs sourires, le satin de leur peau et l'odeur secrète de leurs trésors enfouis sous le morne du pubis n'avaient pas de pareils. Et pourtant, il s'était marié avec Ramona, la blanche Ramona, dont la chair s'était flétrie aussi vite que le caractère s'était aigri. Car dans son pays, un homme d'une certaine condition au risque de déchoir ne pouvait prendre qu'une épouse à peau claire. Dans leur première jeunesse, José Rosario et lui s'étaient juré de fouler aux pieds cette règle. C'était aussi le temps où ils débattaient de rejoindre les hommes de Tirofijo * dans les

---

* Légendaire guérillero, chef du FARC.

Llanos! Évidemment, tout cela était resté à l'état de paroles. Ni l'un ni l'autre n'était devenu guérillero. Ni l'un ni l'autre n'avait épousé de femme noire.

Il semblait soudain à Enrique que c'était sa lâcheté, son abandon qui avaient mené Tiyi là où elle était, qui avait fait d'elle la proie de dangereux illuminés. Avec un remords infini, il la serra contre lui, jurant :

– Je vais te sauver! Je vais te sauver!

Les gens de Santa Marta racontent que pour faire sortir de La Ceja le corps inconscient de Tiyi, Enrique Sabogal dut porter la main sur Aton, puis se battre comme un tigre avec Hapou, Mesketet et les Haïtiens, hommes et femmes, venus à la rescousse. Dans la réalité, les choses se passèrent tout autrement. Aton, entouré de Hapou et Satamon, se tenait abîmé en dévotions dans l'espace de prières au-delà de la bananeraie et ne voyait rien de ce qui se passait aux alentours de la maison. Mesketet était seul à retourner un morceau de terre à l'autre bout de la propriété. Les Haïtiens, quant à eux, tout occupés en projet de leur case, étaient partis couper des branches de palmiers sauvages dans la campagne. Restait Mandjet qui se tenait tranquille dans la peur d'autres violences.

Aussi Enrique, sans être inquiété par qui que ce soit, retourna-t-il vers sa voiture d'où il appela le service municipal d'urgence. Contrairement aux habitudes, en quelques minutes une ambulance fut là. Quand les clameurs de sa sirène eurent alerté les membres de la colonie, il était trop tard pour s'opposer à la détermination des infirmiers et des brancardiers. Le soir, dans les bars de l'avenida Rodrigo de Bastidas, ceux-ci connurent leur heure de gloire. Ils décrivirent par le menu et le détail à ceux qui voulaient les écouter le spectacle que leurs yeux avaient contemplé dans l'horreur. A les en croire, la chambre de Tiyi était plongée dans une noirceur qu'illuminaient seulement les flammes d'une multitude de bougies brûlant sur un autel. Une odeur de viscères et de chairs putréfiées s'élevait des cadavres d'animaux, malheureuses victimes, mêlés à des fleurs fanées et des restants de fruits qui s'entassaient devant celui-ci. La sorcière Mandjet tournoyant sur elle-même traçait sur le sol des dessins cabalistiques en forme de *vèvè* * haïtiens. Tout cela sentait le vaudou, la macumba ou des rites africains plus primitifs encore. Tiyi elle-même baignait dans son sang et n'avait pas une heure à vivre.

Tiyi survécut.

Au bout de longs jours d'absence, son esprit qui avait laissé son corps se plier à tous les caprices de la maladie, revint l'habiter. Brusquement, elle se sentit bien. Depuis longtemps, elle ne s'était pas étendue sur une couche aussi confortable. La chambre où elle se trouvait était petite, lumineuse, toute blanche. Sur un des murs, un poster en couleur représentait une maison blanche elle aussi, étirée sous un lourd toit de briques brunes. A droite, les formes massives d'un *lignum vitae* avec les lianes puissantes de ses racines emmêlées au-dessus de la terre et les doigts noueux de ses branches se déboîtant dans tous les sens. A gauche, un parterre de pensées où dominaient le jaune et le bleu. A l'arrière, des frondaisons vert vif. Alentour, la pelouse parsemée de feuilles sèches.

Tiyi se sentit la tête fraîche, légère, débarassée de ce poids qui lui pesait depuis des années. Elle voulut y porter la main. Alors elle s'aperçut que son bras droit

---

* Dessins symboliques vaudous.

était amarré le long de son corps. Qu'est-ce qu'on crai-
gnait ? Qu'elle avale son tube de somnifères comme elle
l'avait fait par deux fois déjà ? Mais non, mais non !
Elle avait promis au Dr Timon de ne plus recommencer. De vivre sa vie au ras du sol. Comme les autres.
Tous les autres.

– Que vouliez-vous ? demandait le Dr Timon.

– Ce que je voulais ?

A ce moment, une jeune femme entra, jolie brunette
dans sa blouse frais repassée, un papillon posé sur les
boucles de ses cheveux. Sans seulement lever les yeux
dans la direction de Tiyi, elle se mit à fourrager sous les
couvertures du lit. Tiyi renonça à soulever son buste,
mais questionna :

– Que représente cette affiche ?

La jeune femme sursauta, vira sur elle-même et la
fixa comme elle aurait fixé une revenante. Cependant,
les yeux de Tiyi s'étaient accoutumés à la lumière. Sous
le poster, les lettres s'organisèrent en légende et elle
déchiffra : « Hacienda El Paraiso, Valle del Cauca. »
Alors, la mémoire lui revint et elle hurla :

– Mon enfant !

– C'était une fille. Vous la portiez morte depuis plusieurs semaines. C'est cela qui a causé l'infection qui a
failli vous emporter vous-même.

Pendant que Schultz parlait à voix basse et douce
comme un prêtre au chevet d'une mourante, Enrique
caressait la main de Tiyi. Il avait envie de lui dire des
phrases toutes simples, des phrases toutes bêtes comme :

– Tu es encore jeune et moi aussi. Nous ferons
d'autres enfants. Des garçons ! Car moi, je ne sais faire
que des garçons.

Il ne disait rien, car Tiyi ne l'aurait pas entendu. Elle était effondrée, sanglotant comme elle n'avait jamais sangloté de sa vie. C'est elle, et elle seule, qui était responsable de la mort de son enfant. Parce qu'elle n'avait pas su lui dire qu'elle la chérissait et la garder en vie avec la force de son amour. Et à présent, il était trop tard. Sa mère et sa fille inconnues l'une à l'autre, séparées par des années de distance, se retrouvaient côte à côte dans l'indifférence et l'abandon de son cœur. Pas une fleur du souvenir sur leurs bouches. Pas un dernier baiser sur leurs joues.

12

La nuit enveloppait la colonie du nouveau monde dans les plis serrés de son châle couleur de grand deuil. Puisque Aton s'était toujours opposé à l'utilisation des globes électriques dont l'arrogance défie la lumière du Soleil, la vaste étendue de la maison de La Ceja était éclairée par des bougies, deux ou trois lampes fournies, comme tout le reste, par Enrique Sabogal et qu'on allumait rarement pour économiser le pétrole. Ces clartés fumeuses et hésitantes ne pouvaient pas tenir tête à la noirceur. Elles étaient ballottées là-dessus comme des lueurs de phares au milieu de la mer, tandis que des ombres sortaient en chuchotant de tous les coins des pièces, dessinaient leurs silhouettes contre les cloisons et jouaient à toutes sortes de jeux qui faisaient peur.

Mandjet s'était habituée à aller et venir dans cette noirceur. Même elle s'était mise à l'aimer. Cette main très douce pansait les blessures que son dieu lui infligeait, la noircissant et la taraudant chaque jour davantage. Elle avait appris à déchiffrer ses murmures et les savait toujours bienveillants. Peut-être la noirceur est-elle la plus sûre compagne de l'homme puisqu'elle est la couleur de son tombeau.

Mandjet déposa sur la paillasse le corps de Méritaton alourdi par le sommeil et le recouvrit d'une couverture, car les nuits étaient froides. Après les jours torrides, la saison des pluies s'annonçait par des coups de vent glacés qui descendaient des sierras et couraient en frissonnant jusqu'à la mer. En séchant, les larmes de la fillette avaient tracé sur ses joues deux rigoles lumineuses qui allaient se perdre dans les coins de sa bouche. Elle avait tant et tant pleuré qu'elle s'était endormie là où Mandjet l'avait trouvée. Sur le tapis d'herbe, au pied du jacaranda. Mandjet l'avait lavée, changée sans pratiquement la tirer de son sommeil. Où était Néfertiti, quant à elle ? Probablement avec ses oiseaux qui à ce moment semblaient toute sa consolation. Ou bien perchée comme un chat sauvage dans les branches d'un arbre. A peine levée, Néfertiti s'enfuyait vers sa cage au fond du parc et ne réapparaissait même pas à l'heure des repas. De quoi se nourrissait-elle ? On ne la revoyait guère qu'à la tombée de la nuit quand elle se faufilait jusqu'à sa chambre. Le chagrin des enfants privées de leur mère n'attendrissait pas le cœur de Mandjet. Au contraire. Il l'offensait comme une ingratitude. Elle aurait aimé demander à Néfertiti et Méritaton ce que Tiyi avait fait pour mériter que son absence les blesse si fort. Depuis qu'elles étaient sorties de son ventre, qui les baignait, qui les frictionnait, qui leur donnait à manger, qui inventait des jeux pour les divertir ? Tiyi n'était tendre que par à-coups. Par caprices. Quand elle était dans ses humeurs, des journées entières se passaient sans qu'elle adresse une parole à ses enfants. A ces moments-là, si elles s'approchaient, elle les repoussait avec ennui. Mandjet se rappelait sa mère, la douceur de sa main dans sa tignasse, ses baisers, ses cassaves fraîches et son chocolat bien sucré du matin. Un temps pourtant, elle l'avait méprisée et haïe. Elle croyait que toutes ses attentions n'avaient qu'un but. L'offrir consentante aux brutalités d'Esnard Boisfer. Puis elle l'avait compris : sa pauvre mère n'était qu'une victime, une de plus, de la pourriture du monde.

De la même manière, que signifiait l'amour sans mesure d'Aton pour Tiyi ? Pendant le temps de sa maladie, on aurait cru qu'il allait lui-même trépasser. Contre toute attente, il avait approuvé son transfert à l'hôpital. Lui hostile à toute forme de médecine, sinon naturelle, il avait chargé Hapou de remercier Enrique Sabogal de l'avoir sauvée. Dans l'attente de son retour à La Ceja, voilà qu'il préparait pour elle une cérémonie extraordinaire. Il avait repris ses outils de sculpteur, son burin, son marteau, relégués depuis l'arrivée à Santa Marta et tête baissée, toute la journée, il taillait dans une maîtresse branche de fromager un trône identique au sien. Il le lui offrirait. Ensuite, baignés dans les rayons du Soleil levant, pareils à Aménophis IV Akhenaton et à la première Néfertiti dont l'image était aux parois des temples, tous deux prendraient place sur leurs sièges tandis que les membres de la colonie se prosterneraient devant eux. Cela signifierait que Tiyi ne serait plus simplement Épouse royale, mais elle-même divinité. Pauvre Aton ! Plus que jamais, sa dévotion pour lui se mêlait de pitié et de rancune. C'était sa faute si cette aventure commencée dans l'espérance ne pouvait arriver à son terme grandiose. Sa faiblesse, son indécision étaient seuls responsables.

Elle referma la porte de la chambre derrière elle et s'engagea à tâtons dans l'escalier, ses pieds s'enfonçant dans un tapis de ténèbres. Elle s'interrogeait.

Les êtres humains ne chérissent-ils donc que ceux qui font peu de cas d'eux ?

Quelques jours plus tôt, Mesketet avait évoqué la dissidence des Haïtiens, retirés à présent dans la case qu'ils s'étaient bâtie, à l'extrême bout de la propriété, l'absence de Tiyi et le désarroi d'Aton pour remettre à plus tard leur projet de départ.

– On ne peut pas le laisser maintenant, répétait-il.

Pourtant Mandjet savait bien que ces raisons-là n'étaient que des prétextes. Il se souciait peu d'Aton. Elle savait que très vite, dans le secret de son cœur, il avait commencé à douter de lui et n'était demeuré à Matalpas que pour elle. Que voulait-il ? Retourner à la Guadeloupe sans elle ? Recommencer sa vie ? Le cœur est un puits au fond duquel on ne peut pas voir luire la lumière de la vérité. Pour éviter les explications, Mesketet la fuyait. Il se levait quand on ne distinguait pas encore un fil noir d'un fil blanc et, toute la matinée, il était tellement occupé par ses mille travaux, le dos courbé au-dessus de la terre, qu'il était constamment loin d'elle. A midi, il prenait son repas en vitesse, tête baissée, jouant des mâchoires comme un ruminant et retournait peiner sous le Soleil. La nuit, à peine couché, il se disait mort de fatigue et ne voulait rien d'autre que dormir.

Qu'étaient devenus les sentiments de son cœur ? Le désir de son corps ? Le temps n'était pas si loin où il baisait l'empreinte de ses pieds dans la terre.

Mandjet arriva sur la galerie et alluma la grosse lampe-tempête suspendue à la poutre principale. Bientôt, pour économiser le kérosène, il faudrait avoir recours aux *chaltounés** qui fumaient sans donner de lumière.

Le Soleil avait laissé la place à l'astre de la nuit et à présent, c'est Lui que la nature tout entière révérait.

* Torches.

130

Au-delà des croisillons de la balustrade de la galerie, les yeux de Mandjet ne distinguaient rien. Ni les arbres, ni les arbustes, ni les fleurs sous la calotte sans étoiles du ciel. Seuls, les bruits et les odeurs lui parvenaient en grand désordre, les uns mêlés avec les autres. Le coassement des grenouilles pressées de se gorger de l'eau des pluies avec la fragrance des frangipaniers, le roucoulement des tourterelles de Néfertiti avec la senteur des roses écloses le matin. Et par-dessus cela, l'odeur âcre de la terre violentée pendant la journée avec le vacarme des insectes invisibles cachés dans ses plis et replis.

Soudain, une petite silhouette se dessina dans la lumière de la lampe et Mandjet reconnut Néfertiti. Comme l'enfant arrivait auprès d'elle, furtive, grommelant de mauvaise grâce un salut, elle la retint par le bras. Avec Aton, Tiyi et Méritaton, elle seule avait droit de la toucher puisqu'elle l'avait servie depuis sa naissance. Elle demanda :

– Est-ce que Néfertiti a mangé ?

La fillette se dégagea avec impatience :

– Néfertiti n'a pas faim.

D'aussi près, elle sentait la sueur, la crasse et une troisième odeur poivrée, plus secrète, surprenante pour ce corps si jeune. Mandjet la renifla, puis s'efforça de sourire, disant d'un ton taquin :

– Depuis combien de jours Néfertiti n'a-t-elle pas pris son bain ?

La fillette la foudroya du regard. Sans prendre la peine de répondre, elle traversa la galerie et entra dans le vestibule dont la bouche d'ombre l'avala. Comme elle avait changé au cours des dernières semaines ! On aurait dit que toute la fragilité de l'enfance s'était envolée de sa figure, laissant à la place un masque dur, presque adulte, où les yeux criaient

131

l'angoisse. Qu'est-ce qui la troublait ainsi ? Mandjet allait se précipiter à sa suite dans l'escalier pour tenter de lui poser des questions quand Rudolf surgit à son tour du jardin. Il marchait lentement, appuyant fortement ses pieds nus sur la terre. Ses cheveux de plus en plus délavés s'emmêlaient en cordelettes qui tombaient sur ses épaules. Au premier regard, cela lui donnait l'air d'un Christ. Pourtant l'expression fermée de sa figure, ses yeux sans lumière démentaient aussitôt cette comparaison. Lui aussi avait changé. Il n'accompagnait plus Aton dans ses dévotions du matin et de la nuit. Il ne s'entretenait plus de religion avec Lui. Il ne s'occupait que de son jardin qui était à présent un harmonieux enchevêtrement de fleurs et de plantes. Des orchidées à chair pâle ou tigrée déployaient leurs formes déchiquetées dans les creux des arbres ; des camélias semaient leurs pétales sur les plates-bandes. Et de grands lys cannas se nichaient entre les jambes des rosiers. Mandjet ne savait à quoi attribuer ce changement. Sans doute s'inquiétait-il de l'avenir de la colonie et se demandait-il pourquoi il était sorti de l'Allemagne pour vivre ce qu'il vivait.

Il salua rituellement Mandjet. Puis la bouche d'ombre du vestibule l'avala à son tour.

Mesketet éteignit la précieuse lampe électrique et se rapprocha d'Ute. Il distinguait dans le noir la tache pâle de sa figure. Elle sentait la peau roussie et cela l'excita encore. Il murmura :

– Tu es sûre que tu es prête à partir avec moi ?

Elle haussa les épaules :

– Combien de fois faut-il que je te le répète ?

Il insista :

– Tu resteras avec moi en Guadeloupe?

Pour toute réponse, elle soupira avec agacement. Il aimait bien que celle-là soit rétive, boudeuse, exigeante, car Mandjet l'avait habitué à trop de douceur et de gâteries. Comme sa maman qui lui passait tous ses caprices et ne levait jamais la main sur lui.

Il avança le bras et pour la première fois la toucha. Elle recula, mais il s'approcha plus près, décidé qu'il était à en finir ce jour-là. Ils restèrent un moment l'un contre l'autre à se deviner, son torse effleurant la pointe de ses seins. Derrière leur dos, ils entendaient le murmure des voix des Haïtiens, allant et venant autour de leur case. Puis Mesketet passa les mains sous le caraco d'Ute et l'étreignit. Mesketet n'avait jamais possédé de femmes blanches et, alors qu'il vivait à Paris, il s'était toujours tenu aussi loin d'elles qu'il le pouvait. Pour lui, elles étaient le symbole d'un monde qu'il haïssait et elles ne méritaient même pas le nom de femme. Ce désir pour Ute l'avait pris par surprise et lui donnait un mauvais sentiment de culpabilité. Il ne pouvait s'empêcher de penser qu'il trahissait doublement Mandjet en la quittant pour une jeunesse blanche. En même temps, commettre un acte défendu depuis les débuts du monde était enivrant comme l'effet du rhum ou de l'absinthe.

Il écarta violemment les cuisses d'Ute et entra à l'intérieur de son corps. La violence et la soudaineté de ses réactions l'étonnèrent. Mandjet n'avait jamais aimé l'amour. A chaque fois qu'il s'approchait d'elle et la prenait contre lui, c'est l'image haïe d'Esnard Boisfer qui se superposait à la sienne. Il fallait beaucoup de patience et de douceur pour la conduire au plaisir. Certains soirs, elle s'y refusait entièrement. Voilà soudain qu'il retrouvait grâce à Ute une sensation oubliée que lui avaient procurée ses premières maîtresses au temps où il était un fameux coureur, un jeune coq qui couvrait toutes les poulettes du poulailler. Celle d'être un dieu.

Le désir lui revint. Il entendit Ute crier et se plaindre à nouveau. Mais le contentement qu'il éprouvait de lui donner tout ce plaisir se mêla soudain d'un autre sentiment. Inavouable, celui-là. Une sorte de mépris de la voir se défaire totalement. Il se dit qu'après tout elle n'était pas ce qu'il pensait. Inaccessible comme le mangot à la tête de l'arbre. Il se releva.

Entre les formes plus noires des branches, on apercevait la lueur des grossiers *chaltounés* avec lesquels les Haïtiens s'éclairaient. S'ils continuaient, un de ces jours, ils allaient mettre le feu à leur abri.

Aton était trop bon de leur permettre de rester à La Ceja ! Il avait même donné l'ordre de partager avec eux les quelques racines que l'on possédait et avait mis à leur disposition un morceau de terre qui s'étendait à la limite de la propriété. C'était cette faiblesse-là qui les avait menés là où ils étaient. Si Thoutmès et son groupe ne croyaient plus en leur religion, il fallait les chasser ! Ils n'avaient qu'à reprendre la route, enjamber à nouveau la mer, retourner en Amérique, ou bien dans leur île à vaudou et à maléfices. Mesketet n'avait jamais eu beaucoup de sympathie pour les Haïtiens. Avec les Dominicains, ils les rendaient responsables du visage changé de la Guadeloupe. Du temps qu'il était mauvais garçon, il n'hésitait pas à leur chercher querelle, car ils étaient nombreux à Port-Louis sur les terres de l'usine Beauport. Un hivernage, il leur avait fait croire qu'une petite armée de tontons macoutes complète, avec ses mitrailleuses et ses lunettes noires, avait débarqué à la Guadeloupe et se préparait à ramener au pays tous les exilés. Leur terreur lui avait fait plaisir.

Mesketet regarda Ute, encore couchée à ses pieds et
redit d'un ton de triomphe :

– Tu resteras avec moi en Guadeloupe ?

Elle ne répondit rien, trop occupée peut-être à
retrouver ses esprits. Il insista :

– Tu as bien compris notre plan ? Je pars devant.
Tu comptes cinq jours et puis tu me rejoins à l'endroit
que je t'ai dit.

Dans un souffle, elle lui dit oui. Sans l'attendre,
Mesketet marcha vers la maison.

S'il plaisait à Dieu, dans deux, trois semaines tout au
plus, il serait de retour au pays. Brusquement, toutes
ces années qu'il avait passées à la colonie lui parurent
des jours, des mois, des semaines perdus. Qu'avait-il
voulu faire ? Changer le monde ? Ou fuir le monde en
se réfugiant dans des plans chimériques. Il fallait se
guérir de toutes ces bêtises. Un optimisme dont il ne
comprenait pas la cause le soulevait hors de lui-même.
Il allait ramener le sourire sur la bouche de sa mère,
fonder une famille, faire des enfants. Du travail ? Il
s'en présente toujours à celui qui ne le cherche pas avec
un fusil pour l'abattre. Il atteignit l'espace de prière et
là, il vit Aton. Bras étendus dans la noirceur, tête levée,
dans la posture de l'adoration. Seul. Tout seul. Comme
Christ au jardin des Oliviers.

Visiblement, cet homme-là vivait un drame. Toute-
fois, le cœur de Mesketet n'éprouva aucune pitié. Loin
de s'arrêter auprès de cette silhouette si frêle, si nue, il
fit un détour en pressant le pas et bientôt le gros œil cli-
gnotant de la lampe de la galerie sortit de l'ombre. Il
reconnut Mandjet, appuyée contre la balustrade, inter-
rogeant la nuit, patiente sous le dur diadème de ses cheveux.

Mandjet ! Que deviendrait-elle quand il l'aurait

135

quittée ? Au moment où il se préparait à la trahir si vilainement, la mémoire de toutes ces années de fidélité et de dévouement vécues ensemble lui revint. Pris de remords, incapable de soutenir son regard, il retourna s'enfouir à l'abri des arbres. Brusquement, il hésitait et se demandait s'il ne devait pas renoncer à son projet.

C'est alors que, sans crier gare, le ciel se déchira. Les premières pluies de la saison que l'on n'attendait pas avant plusieurs semaines se déversèrent et l'eau clapota sur la terre sèche qui l'accueillit avec un bruit de bonheur.

13

– Donne-moi deux douzaines de roses. Fais deux bouquets à part. Mets des roses de toutes les couleurs. Que cela soit gai !

L'aide-fleuriste coula un coup d'œil plein de raillerie dans la direction de sa patronne qui, tout en servant un autre client, tendait l'oreille mine de rien et ne perdait pas une seule parole. Car c'était devenu la fable de Santa Marta : Enrique Sabogal était tombé en amour comme un gamin pour la femme du Loco et il lui faisait la cour avec son ostentation ordinaire. C'était tous les jours du Bon Dieu d'interminables visites à l'hôpital San Andresito, des envois de fleurs, de fruits ou de cadeaux divers. Les uns racontaient en se tordant de rire qu'il avait dû lui acheter toute une gamme de chemises de nuit et de robes de chambre en dentelle et en soie puisque la pauvre femme ne possédait rien que le caraco et le pagne couvert de sang avec lequel on l'avait admise à l'hôpital. D'autres tenaient de la bouche des infirmières le chiffre exact des poux et autres bestioles qui, noircissant le plancher, étaient tombés de sa chevelure qu'on avait dû couper à ras avant de l'étendre sur la table d'opération. D'autres enfin décrivaient les efforts qu'il avait fallu faire pour la forcer à s'alimenter. Elle ne savait plus tenir une fourchette, manier un couteau ou porter des aliments solides à sa bouche. Pendant des jours et des jours, on avait dû la maintenir sous perfusion. Ramona, l'ancienne femme d'Enrique, répétait à qui voulait l'écouter que, loin de la surprendre comme les autres habitants de Santa Marta, cette passion de son ex-mari ne l'étonnait pas. En plein mitan de leur voyage de noces à Bogotá, est-ce qu'Enrique ne s'était pas amouraché de la chanteuse – noire bien sûr – de l'orchestre de rumba El Santancera qui se produisait dans le quartier mal famé de l'avenida Jimenez ? C'est seule et les pieds froids qu'il la laissait dans le lit nuptial pour aller faire sa cour à cette rien du tout.

Sans s'occuper des regards moqueurs ni des sourires pleins de sous-entendus des deux fleuristes, Enrique Sabogal paya ses roses et sortit nu-tête sous la pluie. Il adorait la pluie depuis qu'il était petit, quand, échappant à la surveillance de sa pauvre mère, il courait avec des voyous au long de l'avenida Campo Serrano. En plus, il voyait dans ces averses prématurées qui ramenaient les floraisons avant l'heure un signe heureux pour l'avenir. Cela voulait dire que Tiyi guérirait de sa dépression. Qu'elle reprendrait goût à une existence normale et qu'elle finirait par laisser Aton marcher tout seul vers sa fin.

En se dirigeant vers sa voiture, Enrique rêvait. Oui, la vie recommencerait, il en était sûr et certain. Un de ses amis possédait une hacienda dans les environs de Medellin. Il y conduirait Tiyi et elle y resterait le temps qu'il faudrait pour oublier les jours de cauchemar qu'elle avait vécus. Il pensait à tout. Longuement, il s'était demandé ce qu'on allait faire des enfants, deux fillettes de treize ans et dix ans qui, à cet âge, savaient à peine lire et écrire. Il s'était déjà mis en quête d'une institution où des religieuses aimantes et dévouées les reprendraient en main.

Eduardo Gómez, le postier en retraite, se chargea de le ramener sur la terre. Son journal à la main, il était debout devant la Casa de la Aduana. Il venait d'y lire que l'Italie avait encore refoulé des immigrants venus d'Albanie. Personne sur la terre ne voulait venir en aide à ces malheureuses victimes du communisme. Bon Dieu de Bon Dieu! Qu'est-ce que le marxisme avait commis de crimes dans le monde! S'il ne tenait qu'à lui, on fusillerait tous ceux qui avaient lu une seule ligne de Marx et Engels.

Enrique parvint tant bien que mal à s'arracher à ce bavard et s'enferma dans l'abri de sa voiture. La pluie piétinait sur le toit. Elle sillonnait en grosses gouttes les vitres et le pare-brise.

Peut-être Tiyi voudrait-elle connaître Bogotá, la capitale haut perchée dans son nid de condor? Enrique n'était pas très chaud. Le séjour lui remettrait en mémoire le mauvais temps de son voyage de noces, quand Ramona, se révélant frivole comme un colibri, prétendait le traîner de magasins de mode en magasins de chaussures. Dès ce moment-là, il s'était aperçu qu'il n'avait rien en commun avec la femme qu'il venait d'épouser en grande pompe la semaine précédente et que le désir l'avait bel et bien trompé. Pourtant, il n'avait pas su prendre de décision et l'attelage avait cahoté pendant plus de vingt ans. Si Tiyi insistait pour se rendre à Bogotá, il l'emmènerait écouter de vieux airs de tangos argentins dans les *rumbeadores*, seuls endroits qu'il affectionnait. Pas de salsa! Non, il n'aimait pas ces airs synthétiques nés à l'étranger.

Quand le bail de la propriété de La Ceja viendrait à expiration, la municipalité n'aurait tout de même pas le cœur de renvoyer Aton à la Guadeloupe comme un colis retourné à l'expéditeur. Enrique chassa cette pensée malencontreuse comme une guêpe maçonne qui bourdonne à hauteur d'oreille.

L'eau emplissait les caniveaux des calles, et des enfants à peau sombre y faisaient naviguer leurs canots. Dans ce pays, la misère s'inscrivait dans la couleur de la peau. Les siècles avaient passé; mais les descendants d'esclaves restaient toujours les descendants des esclaves. Ramona avec sa peau blanche s'estimerait toujours supérieure à la plus belle des *morenas*. Ces petitesses et ces préjugés qu'il avait voulu faire disparaître par la vertu de l'idéologie ne changeraient plus désormais.

Il atteignit l'hôpital et les gardes, reconnaissant sa voiture, le laissèrent passer avec un salut.

On ne pouvait pas empêcher les *fritangueros* d'envahir les abords de l'hôpital pour offrir au flot continu des visiteurs des fruits, des gobelets de glace pilée enrobée de sirops violemment colorés et qui attiraient les mouches, des fleurs fraîches et des fleurs en papier, raides au bout de leurs tiges en métal, qu'ils emporteraient au chevet de leurs malades. Enrique se mêla à la cohue qui montait vers le bâtiment central. Les gens ne le laissaient pas tranquille. Il dut serrer des mains, entendre sans les écouter des doléances sur le travail qui se faisait de plus en plus rare et les salaires de plus en plus maigres. Enfin on entra dans le grand hall José Celestino Mutis, décoré de fresques à la manière de Diego Rivera.

Seule dans l'odeur des médicaments et de la maladie, Tiyi dormait. Ses cheveux commençaient de repousser et frisottaient serré tout autour de sa tête. Yeux fermés, dans le sommeil, elle paraissait plus vieille, encore plus fragile, la figure striée de lignes dessinées en creux comme des rides. Le cœur ému, ayant disposé ses roses dans les vases, Enrique posa ses lèvres sur les siennes, brûlantes car la fièvre ne la quittait pas, à l'inquiétude des médecins, un peu rêches, écailleuses. Elle ouvrit des yeux tourmentés, s'accrocha à ses mains et murmura :

– Je rêvais...

Il fit d'un ton apaisant :

– A quoi ?

Elle ne répondit rien. La terreur ne quittait pas le fond de ses yeux, comme si la lumière n'effaçait pas le souvenir des terribles images. Au bout d'un moment, elle balbutia :

– Comment vont mes enfants ? Les deux qui me restent.

Il fit sur le même ton de réconfort :

– Elles se portent à merveille. Hier encore, je suis passé à La Ceja. Méritaton insistait pour venir vous voir, mais vous savez, les règles de l'hôpital sont strictes...

Elle l'interrompit :

– Et Néfertiti ? C'est d'elle que j'ai rêvé. On dirait qu'elle est en danger.

Enrique éclata de rire :

– En danger ? Quel danger ? Ah ! cela ne fera pas plaisir à votre cœur, mais celle-là ne s'occupe pas trop de vous. Elle n'a qu'une idée en tête et passe tout son temps avec ses chers oiseaux.

Enrique ne disait pas la vérité. A sa dernière visite, il avait trouvé les enfants, Néfertiti surtout, tristes, livrées à elles-mêmes, ravagées par l'absence de leur mère. Il entoura Tiyi de ses bras, l'attira contre sa poitrine et couvrit de baisers les creux de ses joues. Elle ne se défendit presque pas, car, depuis son arrivée à l'hôpital, son comportement avec Enrique avait changé. La dévotion de cet homme, l'obstination de son désir, alors qu'elle ne voulait que la mort, lui rappelaient qu'elle était une femme vivante et la rattachaient à l'existence. A elle faible, impuissante comme un prisonnier derrière les barreaux de sa geôle, écrasée par le sentiment de sa culpabilité, il redonnait l'espoir et l'envie de lutter pour sa survie. Tout au fond d'elle-même, une peur ne la quittait pas. Elle le sentait : le châtiment des péchés qu'elle avait commis, et dont son cœur endurci ne s'était jamais repenti, s'apprêtait à fondre sur elle. Elle avait déjà perdu son enfant. Qu'est-ce que demain lui gardait encore en réserve ?

Son enfant! Sous les draps, Tiyi caressait la grande place molle de son ventre et ne pouvait se consoler. Elle ne connaîtrait jamais la figure de cette petite fille qu'elle n'avait pas assez aimée et qui, par sa faute, avait été torturée, était morte sans sépulture, était partie dans l'au-delà sans fleurs ni couronnes. Cette petite fille qui n'embrasserait jamais la joue de sa mère, qui n'entendrait plus le son de sa voix et ne goûterait pas aux furtives douceurs de l'existence.

Profitant d'une embellie, Thoutmès sortit dans le jardin et regarda la case qu'ils avaient pris tant de peine à mettre debout. L'eau avait défoncé son toit de paille et avait entraîné des pans entiers de murs, creusant çà et là des trous béants. Il semblait qu'au plus petit coup du vent elle allait s'aplatir et rester là par terre, entre les pieds géants des arbres. Dans ce pays inconnu, combien de temps tombait la pluie ? Si cela continuait, ils allaient tous s'en ressentir. Déjà, Maya toussait. Le soir, son petit corps était brûlant et son sommeil, agité.

Thoutmès entendit un pas derrière lui et se retourna.

C'était Nakhtmin, comme lui le front soucieux et qui inspectait les dalles mouillées du ciel. Il fit gravement :

– Si la pluie n'arrête pas, il nous faudra retourner dans la maison.

Elle eut une moue :

– Retourner dans la maison ? Qu'est-ce que Ramosé dira ?

Cela mit Thoutmès en colère :

– Qu'est-ce que tu crois qu'il préfère, hein, Ramosé ? Que nous restions là où nous sommes, pour que l'enfant meure et nous tous avec lui ?

Elle le regarda avec reproche et eut un geste vif pour conjurer le mauvais sort. Pour la première fois, elle qui avait toujours été à sa dévotion, il la sentait lointaine, rétive, presque hostile. Les jours qu'ils venaient de vivre l'un sur l'autre dans l'espace étroit de la case toujours inondée n'avaient pas été faciles. On a beau faire et on a beau dire, deux mâles crabes ne restent pas dans le même trou ! Les tensions entre Ramosé et Thoutmès n'avaient fait que s'aggraver et les deux hommes en étaient venus à ne plus pouvoir se supporter. Il suffisait que Ramosé dise blanc pour que Thoutmès éprouve la rage de dire noir. Thoutmès ne pouvait plus souffrir ses commandements brusques, ses avis sans nuances, ses rires, ses jeux, ni surtout la manière dont, la nuit, il faisait crier Maat et Nakhtmin. Auparavant, c'est avec un peu de mépris qu'il lui avait laissé les exploits sexuels, tirant vanité de son rôle de père spirituel de la petite communauté et de son pouvoir sur les deux femmes. A présent, cette image-là était bien ternie. C'était lui qui avait eu l'idée de quitter Miami pour rejoindre Aton. Comme cela avait été son idée de soutenir le père président qui n'avait pas tenu plus longemps au pouvoir que les autres avant lui. Deux mauvais choix que Ramosé ne manquait pas de souligner pour un oui ou pour un non.

Oui, il s'était imaginé que ces deux êtres-là redonneraient des couleurs, le premier à Haïti, le deuxième au monde. Il s'était trompé et, à cause de ces faux prophètes, il avait perdu la face. Il se retrouvait dépossédé, amer.

A présent, il lui semblait que Ramosé et les deux femmes chuchotaient derrière son dos. Qu'ils faisaient silence devant lui et cachaient vite des choses qu'il ne devait pas voir. Les semaines passées, par deux fois Ramosé s'était rendu à Santa Marta sans lui en parler. La première fois, Thoutmès ne l'avait pas vu partir et le croyait aux champs quand il s'était trouvé nez à nez avec lui, vêtu comme au temps de leur existence d'avant la colonie. La deuxième fois, il ne s'était même pas caché et s'était dirigé vers la route d'un air faraud.

C'est sûr, il fallait prendre une décision, car la vie ne pouvait plus se vivre comme elle se vivait. Tout ce qu'on trouvait pour se nourrir, c'était des bananes que l'on mangeait crues ou cuites, mûres ou vertes. Du matin jusqu'au soir, on avait grand-faim. Pourtant, Thoutmès repoussait la pensée de quitter La Ceja pour retrouver le monde. Sans doute, les autres l'envisageaient-ils ? Si telle était leur intention, est-ce qu'ils allaient le laisser derrière eux comme un vieux-corps qui n'a plus d'usage ?

Nakhtmin arriva à sa hauteur et murmura sans le regarder, sans lever la tête vers lui :

— Ramosé a trouvé du travail dans un hôtel à Santa Marta.

Il fit :

— Et alors ? C'est moi le maître ici. C'est moi qui commande.

— Le maître ? Est-ce que tu n'as pas toujours dit que l'homme n'a pas de maître sur cette terre ?

Il dit avec calme, mais plein d'un feu intérieur comme si Ogun Ferraille * lui était entré dans le corps et le brûlait :

— Si vous partez, ce sera sans moi !

Elle lui prit la main et la caressa doucement :

— Quand Ramosé est allé à Santa Marta, il a lu dans le journal que notre président allait rentrer au pays. S'il veut aller à Santa Marta, c'est pour travailler pour nous tous. Et dès qu'il aura le prix des billets, nous allons retourner en Haïti !

C'en était trop ! Thoutmès éclata :

— Vous voulez jouer aux grandes personnes, mais moi, je vous dis que vous n'êtes que des enfants ! Vous ne comprenez rien à rien. Vous ne voyez même pas clair devant vous. Le président ne reviendra jamais au pays. Jamais. Jamais !

Là-dessus, il éclata en sanglots rouillés, ridicules. Mais c'était sur lui-même qu'il pleurait. Il se rappelait la naissance de la communauté du Saint-Amour. Quand l'Esprit était venu lui souffler que le vaudou et les anciennes manières de prier Dieu ne servaient à rien du tout et qu'Il l'avait choisi pour apprendre de nouveaux battements aux cœurs des humains. Il devait être trois heures du matin. On n'entendait d'autres bruits alentour que les aboiements des chiens, plus affamés encore que les hommes et à la recherche de débris de nourriture. Il dormait d'un profond sommeil quand l'Esprit était entré dans sa chambre. Il l'avait attiré au-dehors et alors, il avait vu le ciel s'embraser rouge, rouge au-dessus des flamboyants sans fleurs et tout en gousses brunes de l'hivernage. La clarté aveuglante s'étendait de l'est jusqu'à l'ouest, coiffait la crête des montagnes, filait dans la direction de la mer. En émoi, devant ce miracle, il était

---

* Dieu du panthéon vaudou.

tombé sur ses genoux, écoutant la grande voix mystérieuse qui parlait de beaux jours à naître. Le lendemain,
il avait pris le nom de frère Amour. Quelques jours plus
tard, il avait quitté les abords des Gonaïves où depuis
plusieurs années il portait la parole de Jésus-Christ de
case en case, baptisant les nouveau-nés, soignant les
malades comme il le pouvait, veillant les agonisants et
les mourants. Ses fidèles avaient pleuré toutes les larmes
de leur corps quand il avait pris le tap-tap pour Port-au-
Prince. Dans cette ville de souffrances, de deuil et de
mort, il avait réussi à planter l'arbre de la Nouvelle Foi
qui tant bien que mal avait poussé racines, verdi, fleuri.

Et pendant tout ce temps-là, en réalité, l'Esprit le
moquait. Par jeu cruel, il poussait sa barque sur une
rivière coupée de rapides qui allaient finir par la briser
en mille morceaux. Pourquoi ? Pourquoi ?

A ce moment, Maat et Ramosé sortirent de la case.
Elle donnait le sein à l'enfant à moitié caché, emmitouflé
qu'il était dans un vieux sac de jute. Lui semblait indifférent aux menaces de la pluie et aux dommages de la
case, reposé par un bon sommeil, dispos de tout ce plaisir
qu'il avait pris pendant la nuit. Il salua Thoutmès d'une
façon assez désinvolte, comme on salue une personne qui
ne compte plus, et se dirigea vers un fût rempli d'eau de
pluie pour faire ses ablutions.

C'est alors qu'Ogun Ferraille posséda tout à fait
Thoutmès et fit de lui un mauvais nègre qui ne parle
qu'à coups de poings et de coutelas. Un flot de fiel
inonda sa bouche. Il vit rouge comme si les pans du ciel,
la case et les bois s'étaient peints avec la couleur du sang.
Il se mit à courir, saisit Ramosé par le bras et voulut le
frapper. Mais celui-ci vira sur lui-même et sans effort
apparent, d'une seule bourrade, l'envoya valdinguer
dans les feuilles humides et la gadoue.

14

La pluie n'arrêtait pas.

La terre molle, spongieuse, n'en pouvait plus et, comme un enfant qui a bu à satiété le lait de sa mère, la recrachait par petits hoquets. Sous le poids des gouttes qui n'en finissaient pas de tomber, les fleurs du jardin perdaient leurs pétales qui jonchaient le sol. Les arbustes prenaient une mine funèbre et baissaient de plus en plus bas la tête. Même les arbres qui serraient leur feuillage pour se protéger des excès du ciel. En vain! L'eau ruisselait le long de leurs troncs et formait des flaques noirâtres autour de leurs pieds. Cela durait depuis plus de deux semaines et on n'en voyait pas le commencement de la fin.

La tête des sierras dont la blancheur dominait autrefois dans le lointain avait disparu derrière ce rideau gris, terne, toujours en mouvement. Même de l'autre côté de l'horizon, l'éclat de la mer s'était éteint, comme si son immensité s'était cachée sous une pesante couverture que les vagues n'arrivaient pas à secouer. Néfertiti détacha son corps endolori de la fenêtre contre laquelle elle se tenait debout, fixant sans le voir le jardin trempé. Elle n'était que blessures.

Depuis des semaines, elle ne dormait plus parce

qu'elle avait peur de ses mauvais rêves. Dès qu'elle fermait les yeux, mille créatures sorties de l'enfer couraient au grand galop derrière elle. Plakata-Plakata-Plakata. Elle ne pouvait deviner leur identité car elles rugissaient comme des lions, feulaient comme des tigres, hennissaient comme des chevaux. Parfois, elles couinaient interminablement comme des cochons à l'agonie. Quand ces monstres la retrouvaient morte de peur, terrée dans sa cachette, elle s'apercevait qu'ils portaient des têtes à cornes de taureaux sur des corps visqueux de boas constrictors, ou bien qu'ils fermaient et ouvraient des mordants de crabe accrochés tout le long de tentacules de pieuvre. Tous cachaient leurs yeux avec des masques.

Si sa mère avait été là, elle n'aurait jamais pu soutenir son regard auquel rien n'échappait jamais. Dès le premier jour, elle aurait compris ce qui se passait et que sa fille s'était perdue. Quand elle était petite, si elle avait fait une bêtise, donné un coup de dent à un enfant, mangé sa part de bouillie de maïs ou de gâteau patate, joué à des jeux douteux avec les garçons, mesurant leur queue gringalette ou la faisant entrer à l'intérieur de son corps, Tiyi s'en apercevait aussitôt. Alors, elle la mettait assise devant elle et sans colère, sans prendre la peine d'élever la voix, elle lui rappelait que, en sa qualité de première-née du Soleil, elle devait donner l'exemple à tous les ignorantes créatures de son âge. Pourtant, tout était de sa faute, sa très grande faute. Elle n'aurait pas dû l'abandonner comme elle l'avait fait, quitter la colonie sous leurs yeux impuissants, emportée par cet homme qui n'arrivait pas à cacher à quel point il avait envie de faire l'amour avec elle. Une maman poule ne laisse pas ses poussins quand la mangouste est entrée dans le poulailler et rôde parmi les bêtes apeurées.

A chacune de ses visites, Enrique Sabogal prétendait que Tiyi se portait de mieux en mieux et qu'on la reverrait bientôt. Pourtant, Néfertiti savait bien que ce n'était que paroles sans vérité et que sa mère l'avait abandonnée pour toujours dans ce coin perdu du monde.

Si l'on remontait dans le temps, la culpabilité de Tiyi était encore plus clairement établie. C'était en l'observant qu'elle avait commencé de prendre de l'intérêt pour ceux qui n'étaient pas de même sexe qu'elle. Alors qu'on vivait à Matalpas, elle la voyait, aux moments de l'après-midi où la colonie s'assoupissait dans la sieste et où Aton se retirait pour ses dévotions, prendre la trace qui menait dans les hauteurs de Bois Mahault, suivie, mine de rien, par Bouto. Bouto qui parlait si bien aux enfants et leur taillait mille objets magiques dans des morceaux de bois mais dont le cache-sexe semblait continuellement tendu et dont les yeux semblaient tenir un langage, secret, brûlant à déchiffrer. Une fois, la curiosité avait été trop forte. Elle avait suivi Tiyi et Bouto à travers les mangliers et les lianes cochon des hauteurs, mais elle avait failli se perdre dans le labyrinthe des bois et avait été obligée de rebrousser chemin. A Maurepas, elle n'ignorait rien de ce qui se passait entre sa mère et le béké, et elle comprenait la grande honte de son père. Sans doute possible, c'était Tiyi et elle seule qui lui avait donné son grand goût des hommes. Elle avait sucé ce vice avec son lait quand elle était encore à la mamelle, nourrisson sans défense. Mais Tiyi lui avait caché la vérité. Elle ne lui avait pas fait connaître que certains hommes ne valent pas mieux que les bêtes sorties de l'enfer. Ils agressent le corps des femmes avec de cruels éperons. Ils humilient et déchirent leur ventre avec ces morceaux de fer. Ils les saccagent et font couler leur sang. Ils les obligent à des jeux effroyables qui mettent leurs yeux en eau et leur âme à l'agonie. Tiyi ne lui avait pas dit que, avec certains hommes, le plaisir n'est pas plaisir, mais seulement honte et douleur.

C'est un fait, il ne l'avait pas violée. C'est de sa propre volonté qu'elle l'avait rejoint au fond du jardin. Pourtant, elle le voyait à présent, la mort était préférable à ce commerce avec lui et seule la mort pouvait y apporter une fin.

Pour d'autres raisons, le cœur de Néfertiti était endolori. Aton avait menti, lui aussi. Ils n'iraient jamais en Égypte rejoindre les autres enfants du Soleil. Ils continueraient d'errer d'un pays à l'autre, vivant de la pitié des étrangers. Pourtant, ce matin-là, la révolte et le désespoir ne se disputaient plus son esprit. Sa décision était prise et elle avait trouvé un grand calme au fond d'elle-même.

Elle marcha vers la porte, sentant à chaque pas la douleur qui envahissait son corps. Au milieu de la chambre, sur la paillasse, Méritaton dormait, découvrant ses jambes et ses fesses dodues de petite fille. Néfertiti ne s'arrêta pas, ne se pencha pas pour un dernier baiser. Il lui semblait qu'un fleuve infranchissable coulait entre sa sœur et elle. Elles se tenaient debout chacune sur sa rive, de part et d'autre de ce mur liquide qui les séparait. Elles ne pouvaient pas s'entendre. Elles ne pouvaient plus rien échanger ni rien partager. Elles pouvaient à peine se voir.

Elle sortit sur le palier et, du même pas de vieille rongée par les douleurs de l'âge, commença à descendre l'escalier. Passant sous la porte, l'eau avait inondé le vestibule et elle manqua glisser sur les carreaux noirs et blancs couleur de demi-deuil. Elle se retrouva sur la galerie. La porte de la chambre d'Aton était entrouverte et on l'entendait remuer déjà à l'intérieur, se préparant sans doute pour ses premières dévotions. Est-ce qu'il y avait de la place dans son cœur pour autre chose que le regret de Tiyi ? S'apercevrait-il qu'elle les avait quittés ? Néfertiti pressa le pas et gagna le bout du jardin.

Aussitôt, elle fut mouillée jusqu'aux os. La pluie froide comme la glace entrait sous le matelas de ses *locks*, inondait sa tête, coulait sur son front et le long de sa figure. Quand les gouttes arrivait jusqu'à sa bouche, elle la buvait avidement, comme si cette eau du ciel, pareille au dernier bain dans lequel on coule les cadavres avant de les laisser entamer leur voyage vers l'au-delà, pouvait la purifier. Mais rien ne pouvait la laver.

La pluie affectait même les oiseaux. Fatigués d'ébouriffer leur plumage à longueur de temps sans arriver à se sécher, ils restaient immobiles, têtes roides, transis sur leur perchoir, battant des paupières à intervalles pour signifier leur désarroi. Néfertiti entra dans la cage. Comme ils lui avaient procuré du bonheur ses oiseaux ! Vingt-six en tout ! Depuis longtemps, à Matalpas déjà, elle rêvait d'en posséder. Au matin, les bois étaient pareils à une immense volière. Cachée derrière le tronc d'un gommier ou d'un poirier, elle surveillait les ramiers, les foufous falle vert, les martinets, les aigrettes et les grandes grues couronnées, blanches comme des oiseaux pique-bœuf.

Grâce à Rudolf, elle avait réalisé son rêve. Au début, quand elle voulait s'approcher des oiseaux qu'il mettait en cage pour elle, ceux-ci s'enfuyaient avec des battements d'ailes. Peu à peu, ils s'étaient habitués à sa présence et se laissaient prendre dans ses mains tandis qu'elle lisait l'amitié dans leurs prunelles rondes, comme tracées au compas. A chacun d'entre eux, elle avait donné un nom de baptême. Elle caressait leur tendre corps duveté. Parfois même, elle les embrassait. Elle s'amusait de leurs pépiements, de leur babil. Elle se ravissait de leurs roucoulements et de leurs chants. Ils étaient devenus les confidents à qui elle ne cachait aucun des petits secrets de son cœur. Malgré sa joie à les posséder, elle savait cependant qu'ils étaient les premières étapes d'un marchandage sans paroles avec Rudolf. Si elle l'acceptait bien volontiers, c'est que le danger du jeu et son issue obscure l'attiraient. Rudolf lui offrait aussi la possibilité d'une éclatante vengeance contre la désertion de Tiyi.

Elle ouvrit la porte de la cage. Les oiseaux ne bougèrent pas. Elle les encouragea de la voix. En vain. Ils restaient figés sur leurs perchoirs à tourner la tête de droite et de gauche et à pépier faiblement. Alors, elle ôta son caraco et se mit à les fouailler de toutes ses forces. Quelques-uns se décidèrent. Ils dégringolèrent en vitesse à terre et se dirigèrent vers la porte à pas sautillants. Elle les frappa plus fort, hurlant de plus en plus sauvagement devant leur lenteur. Les oiseaux finirent par s'effrayer et se bousculer vers la sortie. Une fois dehors, ils se mirent à piétiner dans la boue comme s'ils s'interrogeaient sur la conduite à tenir. Puis les plus hardis se décidèrent et prirent leur envol vers la hauteur des arbres. Au bout d'un moment, les plus timides les imitèrent. Ce fut un grand frou-frou d'ailes et bientôt, il ne resta plus à l'intérieur que Néfertiti pleurant de toutes les larmes de son corps.

Elle cessa de pleurer et quitta la cage vide, refermant soigneusement la porte derrière elle. Puis, elle prit le chemin qu'elle s'était fixé. Thoutmès était accroupi tout seul devant sa case misérable, pareille à un tas de boue, et qui faisait eau de toutes parts. Il ne releva pas la tête à son passage et elle ne le salua pas non plus. Elle n'ignorait pas que, quelques jours plus tôt, les autres Haïtiens l'avaient quitté pour se rendre à Santa Marta. Mais cela ne la regardait pas. C'était affaire de vivants.

Mesketet qui s'habillait avec des gestes furtifs dans la cuisine entendit un pas sur la galerie. Regardant par la fenêtre, il vit l'ombre de Néfertiti descendre dans le jardin. Elle avançait droit devant elle à pas d'automate, pareille à un zombie dont on a mangé l'esprit, indifférente semblait-il à la violence de la pluie. Depuis la maladie de Tiyi, la conduite de la fillette ne laissait pas de le désorienter. Où allait-elle de si bon matin, avant même que le ciel blanchisse avec l'approche du jour ? Elle allait attraper la mort à marcher ainsi à demi nue. Mesketet fut tenté de la héler pour lui conseiller plus de raison. Mais il se rappela qu'il devait se garder d'attirer l'attention sur lui. C'était ce matin-là qu'il avait décidé de mettre son plan à exécution.

A dire la vérité, c'était les Haïtiens qui lui avaient donné du cœur. Ces derniers jours, il ne savait plus si son idée était bonne, s'il devait se fier à Ute. Il se demandait si, une fois en Guadeloupe, elle ne lui ferait pas honte. On dit que les femmes blanches qui ont goûté à un nègre les veulent tous. C'est quand il avait vu les Haïtiens partir pour Santa Marta que ses derniers doutes, ses dernières hésitations l'avaient abandonné. Il avait compris que c'était vraiment la seule solution. Il fallait abandonner la colonie avant qu'il ne soit trop tard, comme ces rongeurs qui fuient en débandade les champs de canne à sucre avant que les flammes des incendies ne les consument entièrement. Mais voici que cette nuit il avait fait un mauvais rêve qui avait failli tout remettre en question. Il était petit garçon sur la plage du Souffleur et, comme à l'accoutumée, la mer l'appelait de sa voix de sirène. Il se jetait dans ses bras, savourant le goût de sel des baisers de sa bouche, quand soudainement le vent s'était levé comme par un jour de cyclone ; en grand tumulte, l'eau autour de lui s'était noircie et il s'était retrouvé tournoyé, chamboulé, coulant à pic vers les profondeurs de la mer. Est-ce que ce n'était pas le signe qu'une catastrophe l'attendait ? Les journées passées, c'était comme si Mandjet s'était doutée de ce qu'il préparait. Elle le regardait curieusement. Elle était toujours là derrière lui à lui remplir la tête :

– Qu'est-ce que nous faisons encore ici ? Si c'est elle que tu attends, tu vois bien qu'elle ne reviendra pas ! Moi, je te parie qu'elle a déjà oublié et Aton et ses enfants, et qu'elle est couchée dans la couche du conseiller.

La nuit, elle le recherchait dans l'amour comme si elle espérait que son corps trahirait la vérité cachée dans son cœur. Pour la tromper, il feignait un grand désir. Que deviendrait-elle quand il l'aurait quittée ? Il chassa cette pensée et s'appliqua à confectionner un capuchon avec un vieux sac d'engrais en plastique. L'argent de Rudolf qu'Ute avait volé reposait entre sa chemisette et sa peau. Tout de même, cela ne le rassurait pas. Il se sentait vulnérable avec ses *locks*, ses pieds chaussés de sandales et sa dégaine. Il avait vécu trop d'années sans respecter les manières des autres humains. Il était pareil à un prisonnier évadé. On voyait immédiatement qui il était. On voyait immédiatement d'où il sortait. En plus, il n'avait pas de papiers et ne connaissait pas l'espagnol. Il n'arriverait sûrement pas à passer inaperçu à Santa Marta.

Comme il mettait pied sur la galerie, la porte de la chambre d'Aton s'ouvrit et celui-ci sortit, en posture de prière, les doigts rigides, les mains jointes à hauteur des lèvres. Aton continuait de se conduire comme si de rien n'était. Lui seul ne comprenait pas que dévotions nocturnes, prières diurnes, récitations, génuflexions n'avaient plus aucune signification. Les Haïtiens étaient partis, sa femme l'avait abandonné, la colonie se mourait. On aurait dit qu'il ne se rendait compte de rien.

De peur d'être vu, Mesketet se rejeta vivement en arrière. Mais Aton allait droit devant lui, sans dévier d'un pas, comme un automate. Comment cela finirait-il pour lui ? Mesketet savait qu'Enrique Sabogal et ses amis ne pouvaient plus l'aider. Sa fin ne devait pas être loin. Il échouerait de nouveau dans un asile et là, les médecins colombiens le renverraient en Guadeloupe. Cette fois, il n'y aurait plus de béké pour le sauver ni d'Henri Gabrillot, car personne ne voulait plus de lui. Sans transition, la honte de soi-même et le remords vinrent envahir le cœur de Mesketet et l'indécision le tortura. Il n'était plus sûr d'avoir bien réfléchi à ce qu'il faisait, d'avoir suffisamment pesé le pour et le contre. Voilà plus de dix ans qu'il vivait en dehors du monde. Dix ans ne s'effacent pas comme cela, sur un coup de tête.

Mesketet resta un bon moment à se cacher dans le vestibule, regardant la silhouette d'Aton disparaître dans le noir. Dans sa poitrine, son cœur battait sans mesure. Faisait-il bien de partir avec Ute ? Il se demandait qui pourrait lui fournir une réponse à cette question.

Il finit par se résigner à sortir de l'abri de la maison. Quand il arriva devant la grille qu'il n'avait pas franchie depuis plus d'un an, il regarda la route, et l'odeur de la liberté à portée de main le grisa comme celle d'un rhum de Marie-Galante. Dans quelques heures, il marcherait sur la plante de ses pieds, debout comme un homme libre ! Il savait que, s'il allait vers l'ouest, il finirait par atteindre Barranquilla, couchée sur la rive boueuse du fleuve Magdalena, gonflé comme une artère, nourrissant le corps du pays.

Il n'hésita pas et prit à l'est.

Longeant la côte et ses splendeurs pour touristes, au bout de deux kilomètres, la route rejoignait Santa Marta.

15

Sous tous les cieux, la misère garde le même mauvais goût.

La *residencia* de la calle 17, derrière la cathédrale cinq fois centenaire où Ramosé, Maat et Nakhtmin avaient trouvé à se loger, ressemblait à n'importe quel *lakou* d'un faubourg de La Pointe, des Salines ou du quartier de la Croix des Bossales à Port-au-Prince. De même, leur voisinage ne les dépaysait pas du tout. C'était celui-là même qui avait fourni la clientèle de la défunte Église des Fidèles du Saint-Amour : truands sans envergure dans l'attente de petits coups, prostituées dormant le jour et fleurissant à la nuit, femmes abandonnées se tuant à la peine pour leur tralée d'enfants, paysans venus des campagnes dans le fol espoir d'une vie meilleure. La seule différence était que tout ce monde parlait et injuriait en espagnol.

Cela n'empêchait pas les bonnes relations. Les prostituées de la residencia s'étaient vite rendu compte que Maat ne rechignait jamais à laver ni à passer un coup de fer sur une robe ; les mères de famille, qu'elle était toujours prête à surveiller un enfant, tandis que Ramosé rendait toutes sortes de services à ceux qui en avaient besoin.

En apparence, la vie avait retrouvé sa mine familière. Ramosé se tuait à la peine dans un hôtel du front de mer, mais ramenait le samedi de quoi ne pas mourir de faim. A Santa Marta, on mangeait de la viande ; on ne manquait ni de poissons ni de légumes. Maya grandissait et s'essayait à marcher. En réalité, l'existence était changée du tout au tout. Plus de jeux la nuit, plus de conversations, plus de rires ni même de querelles. Le souvenir de Thoutmès, de la manière dont ils l'avaient laissé seul à La Ceja rongeait les esprits de Ramosé et des deux femmes. Ils avaient beau ne jamais nommer son nom, c'était comme une présence invisible, silencieuse qui restait là à leur faire honte d'eux-mêmes. Nakhtmin qui avait partagé tant et tant d'années avec lui était en conséquence la plus malheureuse. De son lever à son coucher, elle tournait et retournait les mêmes questions dans sa tête. Que faisait-il en ces jours où la pluie n'en finissait pas de tomber ? Était-il retourné s'abriter auprès d'Aton comme il en avait le projet ? Qui faisait bouillir son manger ? Qui lavait son linge ? Dans son désarroi, elle avait repris le chemin de l'église et passait une bonne partie de ses journées assise sur un banc de la cathédrale ou de l'église San Francisco, en fixant d'un regard désolé les ors et dorures ou bien les bougies que les dévotes allumaient devant les statues des saints et des saintes. Elle les reconnaissait tous malgré les noms étrangers dont on les avait affublés. Saint Michel Archange. Saint Gabriel. Saint Joseph. Saint François d'Assise. Sainte Thérèse. Ils avaient accompagné sa vie, depuis sa naissance jusqu'au moment où elle leur avait donné son dos pour écouter Aton. Elle n'avait jamais rien compris ni à l'enseignement, encore moins aux prières d'Aton :

Disque solaire vivant, qui as inauguré la vie,
Tu es beau, tu es grand, tu étincelles, haut au-dessus
de tout l'univers...

Si elle répétait tout cela pieusement, c'était pour faire plaisir à Thoutmès qui, lui, y croyait. Comme il la sentait incrédule, pour elle, il prolongeait les paroles d'Aton et lui disait doucement :

— Est-ce que tu ne vois pas la beauté du Soleil au-dessus de ta tête, Son éclat, Son rayonnement ? Est-ce que tu ne vois pas qu'Il apporte à la terre tout ce qu'il lui faut pour vivre, pour faire vivre tous ses produits, y compris nous-mêmes, les êtres humains ?

Ah ! au jour d'aujourd'hui, il était bien puni d'avoir donné foi à pareilles bêtises !

Quand Nakhtmin s'arrachait enfin de l'église, elle traînait par le labyrinthe des calles étroites et embourbées ou bien s'asseyait sur un banc du front de mer, indifférente à la pluie qui détrempait ses cheveux, indifférente aux embellies, indifférente à la mer qui changeait ses robes, absorbée dans sa peine. Très souvent, elle ne rentrait qu'à des heures avancées. A mesure que les jours passaient, elle constatait qu'elle avait de moins en moins de plaisir à retrouver la triste residencia où il vivaient les uns sur les autres, les mines harassées de Maat, les pleurs de Maya et les humeurs de Ramosé. Ah non ! il n'y avait aucune joie dans cette existence où l'on préférait ne pas se demander ce que serait demain.

Le comportement de Nakhtmin chagrinait Maat sur qui reposait alors toute la charge de la maison. Elle aurait bien voulu lui en faire le reproche, mais elle n'en avait pas le cœur. Il lui semblait que, si elle n'y prenait pas garde, les liens déjà distendus qui les retenaient l'une à l'autre allaient se dénouer entièrement. Les deux femmes passaient les heures ensemble sans causer ni rire, comme dans le temps où elles avaient toujours tant de choses à partager.

Un soir, la table était mise, l'enfant endormi, elles étaient là devant un programme de télévision auquel elles ne comprenaient pas grand-chose quand Ramosé entra comme un bolide en bégayant :

– Notre président...! Notre président vient!

Les deux femmes le regardèrent et il étala fiévreusement un journal sur la table :

– Il est invité! Il vient dans une ville pas loin d'ici...!

Nakhtmin haussa les épaules tandis que Maat demandait, incrédule :

– Qu'est-ce que tu racontes?

Pourtant c'était la photo du père président que l'on voyait en première page! C'était bien lui avec sa moustache et ses yeux mourants! Ramosé expliquait avec la même fièvre :

– Ah! je n'ai pas perdu mon temps. Depuis que j'ai vu cela, je me suis renseigné! Il y a des autobus à toute heure du jour pour Cartagena! On y arrive en moins d'une journée!

Les deux femmes le regardèrent :

– Tu veux qu'on aille là-bas? Et pourquoi?

Cette passivité le mit hors de lui :

– Réfléchissez un peu quand même! Le président nous connaît, oui ou non? Est-ce qu'il va nous laisser dans l'embarras où nous nous trouvons? Demain, nous partons le rencontrer à Cartagena...

Le président les connaissait? En vérité, est-ce que ce n'était pas Thoutmès son ami? Pour une fois, les histoires qui couraient au quartier de la Croix des Bossales n'étaient pas de la haute fantaisie. C'est vrai, ils s'étaient connus dans l'enfance, puis dans la jeunesse. C'est vrai, plusieurs fois, au cours de ses visites dans les bidonvilles, le père président avait rendu visite à l'église des Fidèles du Saint-Amour, transformée en quartier général de sa campagne électorale. Il avait même publiquement félicité Thoutmès pour le bon travail qu'il accomplissait. Tous ces souvenirs firent monter l'eau de la nostalgie aux yeux de Nakhtmin, mais firent sur Maat un autre effet. Dans le ménage à quatre qu'ils formaient autrefois, elle avait toujours été à la dévotion de Ramosé. Elle ne trouvait jamais rien à lui reprocher. Parfois même, elle lui donnait raison sur Thoutmès. Pour la première fois, elle eut le courage de lui tenir tête et le regarda droit dans les yeux :

– On ne peut pas partir trouver le président sans lui.

Ramosé hésita, comme si cette idée lui avait déjà traversé l'esprit, puis questionna :

– Qui ira le chercher ? Si c'est moi, il ne voudra jamais m'écouter et il ne viendra pas.

Alors Nakhtmin leur fit face :

– C'est moi qui irai...

Pour la première fois depuis bien longtemps, la nuit à la residencia fut caressante. Les corps se touchèrent. Les bouches retrouvèrent des chemins oubliés ; les mains refirent des gestes qu'elles avaient désappris. Maat enfouit sa figure entre les seins de Nakhtmin, puis souffla :

– Bientôt tout va recommencer comme avant.

Oui, comme avant !

Nakhtmin sentait contre son flanc la chaleur de Ramosé abandonné dans le sommeil et elle se rappelait les nuits d'autrefois quand elle hésitait entre la douceur de Thoutmès et la vigueur brutale de Ramosé. Mais pourquoi devait-elle préférer l'un à l'autre ? Elle finis-

sait par prendre sommeil en comprenant que la pléni-
tude est peut-être faite de ces contrastes.

Dès qu'elle eut poussé la grille, Nakhtmin sentit
l'odeur du malheur.

La pluie avait effeuillé les roses du jardin, lassé à
mourir toutes les autres fleurs et transformé la terre des
plates-bandes en boue rougeâtre. Le gazon était à hauteur d'enfant. Un coup de vent avait arraché la bâche
bleue sous laquelle Aton avait l'habitude de se tenir et
ses lambeaux flottaient aux branches des arbres comme
des drapeaux en berne. Aton lui-même, malgré les flots
d'eau du ciel, était à sa place habituelle, debout, les bras
en croix. Seul. Tout seul.

Angoissée, Nakhtmin traversa la galerie, puis le vestibule à odeur de moisi et entra dans la cuisine. L'Allemande, Méritaton et Mandjet s'y trouvaient. Tandis
que les deux premières épluchaient des *ti-nains*, Mandjet était assise, immobile, les mains posées paumes
ouvertes sur les cuisses. Quand Nakhtmin la salua, elle
releva une figure creusée, ravagée, vieillie. Avant
qu'elle ait pu poser des questions, Mandjet murmura :

– Il est parti.

– Qui ? Qui est parti ?

– Mesketet ! Et il a emmené Néfertiti avec lui.

Interloquée, Nakhtmin avança :

– Peut-être qu'il l'a emmenée à l'hôpital auprès de
sa maman !

Méritaton précisa :

– Cela fait trois jours qu'on ne les a pas vus ! Sœur
Mandjet et moi, on a cherché partout !

Comme Ute, assise non loin, blême et défaite, elle feignait la gravité. Cependant, on sentait bien qu'à la

162

manière des enfants elle savourait cette catastrophe qui mettait du sel dans la monotonie de l'existence et ne s'inquiétait pas réellement pour sa sœur. Mandjet se mit à pleurer :

– Vicieux ! C'est vicieux qu'il était ! Tous les hommes sont des vicieux je vous dis... Moi, j'avais sept ans quand le mari de ma maman...

Mesketet, un vicieux ? Nakhtmin n'avait guère échangé de paroles avec lui, car les membres de la colonie, absorbés par leurs tâches, ne se rencontraient qu'aux moments des repas. Alors, ils mangeaient en silence, écoutant Aton qui leur commentait des passages du *Livre des morts* ou les inscriptions des pyramides d'Égypte. Pourtant, elle se rappelait son bon accueil le jour de l'arrivée à la colonie, et sa figure : assez fermée, renfrognée même ; la figure de quelqu'un à qui l'existence n'a pas souvent souri, mais pas malhonnête, franche ! Mesketet, un séducteur de petite fille ? Non ! Il n'était pas ce que Mandjet disait.

Elle demanda :

– Est-ce que vous avez parlé avec M. Sabogal ?

Mandjet éclata d'un rire qui faisait plus de peine qu'un sanglot :

– M. Sabogal ? Est-ce qu'il vient encore par ici ?

C'est à ce moment que Rudolf poussa sauvagement la porte et entra. A Rudolf non plus, Nakhtmin n'avait guère prêté attention. Elle n'aimait pas trop les Blancs. Ensuite, quand il n'était pas en dévotions avec Aton, il s'occupait de ses fleurs. Une ou deux fois, leurs chemins s'étaient croisés dans le parc, mais ils s'étaient contentés de se saluer rituellement. Là, à le considérer de tout près, elle trembla. Il lui apparaissait comme une de ces créatures de malfaisance que la nuit fait sortir de leur cachette dans les grands bois. Il était livide, les yeux et les lèvres sans couleur. Ses cheveux noircis par l'eau collaient à ses joues comme des algues. Sans adresser une parole à personne – même pas un salut rituel –, il traversa la pièce, s'empara d'un coutelas et sortit comme il était entré tandis qu'Ute s'était levée, aussi terrorisée à son approche qu'à celle d'un monstre.

Dans le temps qu'elle était Marta et n'avait peur d'aucun vice, Nakhtmin avait gagné de l'argent et du renom d'une manière bien particulière. Elle s'entourait de bougies allumées, se donnait des airs et prétendait révéler leur lendemain aux naïfs. C'était là une astuce dont Thoutmès lui avait donné grande honte, mais qui reposait sur un don réel qu'elle tenait de sa grand-mère et de sa mère. Celui de lire ce que les humains entendent dissimuler. A la venelle 4 où elle vivait, elle en avait vu défiler des hommes et des femmes, le cœur palpitant de mauvais désirs, de mesquineries et de méchancetés! A chacun, elle disait ce qu'il voulait entendre :

– Oui, ta pauvre maman passera et tu mettras la main sur le carreau de terre qu'elle possède à Léogane!

– Oui, dans quelques mois, tu partiras pour New York et tu laisseras les jaloux dans leur jalousie!

D'un seul regard, elle vit jusqu'au fin fond du cœur de Rudolf et fut effarée. Cet homme se préparait à commettre un crime sans nom. Peut-être qu'il l'avait déjà commis et qu'il était torturé par son remords. Est-ce qu'ils étaient tous aveugles?

Elle aurait voulu mettre Mandjet en garde, mais sa peur même scellait ses lèvres et elle ne put que bégayer :

– Est-ce qu'il ne faut pas avertir la police?

Mandjet continua à sangloter sans lui répondre tandis qu'Ute protestait d'un ton effrayé :

164

– La police ? La police ? Qu'est-ce que la police vient faire là-dedans ?

Brusquement, Méritaton déclara de sa petite voix claironnante :

– Frère Thoutmès est resté tout seul dans sa case.

Le cœur en émoi, l'esprit en fièvre, Nakhtmin sortit en vitesse de la maison. A quelques mètres de là, à coups de coutelas, Rudolf taillait des bananiers cassés en deux par le poids de la pluie. Chacun de ses gestes était précis, cruel, meurtrier. Nakhtmin en était sûre, cet homme portait en lui le danger. Comment l'empêcher de semer le malheur ?

Elle passa sans le voir à côté d'Aton toujours en prières, toujours seul.

La case était complètement affaissée. Seul un coin demeurait debout, colmaté avec des branchages. Assis à même la terre, Thoutmès, emmitouflé dans un sac de jute, s'efforçait de réchauffer un pot sur des braises mourantes. Ses mains tremblaient. Il avait l'air très las. Pourtant son regard gardait la lumière. Il lui sourit comme si elle l'avait quitté quelques instants auparavant, et elle, le cœur torturé par le remords, se glissa à son côté :

– Je te dis pardon, papa !

Parfois, elle l'appelait papa dans le jeu ou dans la tendresse. Il sourit à nouveau :

– Est-ce que tu crois que je n'ai pas besoin de dire pardon, moi que tu vois devant toi ? J'ai beaucoup réfléchi quand je me suis trouvé tout seul ici et j'ai compris que tout, tout, tout ce qui est arrivé, c'est ma faute ! Alors, j'ai prié le Bon Dieu et je lui ai dit :

O Dieu, aie pitié de moi dans ta miséricorde !
Dans tes grandes compassions, efface mes forfaits...

165

La colonie du nouveau monde

Elle reconnut le psaume 51 et continua de réciter avec lui :

Lave-moi entièrement de mon iniquité,
Et purifie-moi de mon péché
Car je connais mes transgressions.

Puis ses larmes ruisselèrent devant son humilité. Il lui prit les mains et demanda :

– Tes deux mains sont froides comme la glace et j'entends là où je suis ton cœur qui bat, qui bat. Qu'est-ce qu'il y a ? Qu'est-ce qui te fait peur ?

Elle n'osa pas lui parler de Rudolf et murmura :

– Quand je suis allée dans la maison te chercher, sœur Mandjet m'a raconté ce qui est arrivé.

Il eut un soupir et se fit très grave :

– Tout le monde croit que frère Mesketet a emmené l'enfant pour faire des vices avec elle. Pas moi. Je te dis que l'autre jour, de bonne heure matin, j'étais assis là même quand j'ai vu l'enfant passer. Elle ne m'a pas parlé, elle ne m'a rien dit. Elle ne m'a même pas regardé. Mais moi, j'ai remarqué que sa figure était drôle, à l'envers et j'ai pensé dans mon cœur : « Où est-ce qu'elle va comme cela toute seule à une heure pareille ? » J'ai bien observé : elle est partie par là... Toute seule, je te dis !

Il désignait au-delà des limites de la propriété les bois sombres qui ondulaient en tournant le dos à la mer.

– Moi, je dis que c'est une bête qui l'a attrapée...

Elle hasarda :

– Et si c'était le Blanc qui lui avait fait quelque chose ?

Il fit d'un ton sévère :

– Le Blanc ? Est-ce qu'il n'a pas un nom comme chacun d'entre nous sur cette terre ?

Elle ne dit rien et il reprit plus sévère encore :
– S'il y a une bonne chose dans tout ce qu'Aton disait, c'est que tous les hommes sont les mêmes. Vous autres, vous ne voyez que la couleur. Vous dites : les Blancs sont comme ceci, les Noirs sont comme cela. Quel jour est-ce que vous comprendrez que Blancs, Noirs, Jaunes... tout cela, ce sont des bêtises ? Cela ne veut rien dire. Rien de rien! Ce sont des mots que le diable a inventés pour vous dresser les uns contre les autres!

16

Méritaton regarda la case de Thoutmès. Vide. Il
était parti lui aussi. Ils partaient tous les uns après les
autres. D'abord sa mère. Ensuite, les Haïtiens, Mesketet, sa sœur. A présent Thoutmès. Ils partaient et la
laissaient derrière eux. Méritaton fondit en larmes
d'apitoiement sur elle-même. Il y a pas beaucoup
d'enfants que leur mère abandonne comme Tiyi les
avait abandonnées, Néfertiti et elle. Dans les premiers
temps, elle s'accrochait à une certitude. Tiyi reviendrait
la chercher. Elle reviendrait. Elle tenait tête à Néfertiti
qui ne cessait de répéter amèrement qu'elle était perdue
à jamais. Pourtant, à mesure que les jours s'ajoutaient
aux jours et formaient des semaines, le doute s'installait
en elle. C'est Thoutmès qui lui avait redonné espoir.
Une maman, lui assurait-il, ne peut pas oublier les
petits qui sont sortis de son ventre et qui ont bu le lait
de ses seins. Un enfant ne doit jamais perdre confiance
dans l'amour de sa maman.

Leur commune solitude avait rapproché Thoutmès et
Méritaton et ils s'étaient liés d'amitié. Après le repas
du soir, elle le rejoignait dans sa case. Elle s'asseyait à
ses côtés et buvait avec lui du thé de corossol ou de
citronnelle tout en l'écoutant parler de son pays. A

l'heure qu'il est, lui disait-il, ce n'était que misère et désolation. Le sang coulait et les chiens déchiquetaient les cadavres aux trois chemins. Malgré tout, il ne fallait pas perdre confiance. Un jour, Haïti deviendrait odorante comme un bouquet de myrrhe, d'aloès et de plantes aromatiques, droite comme un lys canna, radieuse comme un pommier parmi les arbres de la forêt. A chacune de ses visites, elle lui apportait de quoi manger. Ce qu'elle pouvait : deux ou trois plantains bouillis, de la purée de manioc, du lait de chèvre, des galettes de farine de coco. Et il acceptait, trop content. Vraiment, les grandes personnes n'ont pas de sentiment. Elles se fatiguent les unes des autres et se tournent le dos. Tiyi avait abandonné Aton. Les Haïtiens, Thoutmès. Mesketet, Mandjet. Et non seulement il l'avait quittée, mais encore il avait préféré emmener Néfertiti avec lui.

Méritaton renifla.

Elle n'était pas entièrement innocente. Malgré leurs mines et leurs paroles raisonneuses, elle avait son idée sur ce qui occupe les grandes personnes la nuit derrière les portes de leur maison. Et c'est à ces jeux-là que Mesketet avait voulu mêler Néfertiti ? Elle ne le croyait pas. Mesketet avait toujours été la gentillesse même avec Néfertiti comme avec elle. Un jour qu'elles étaient montées à la tête d'un manguier et ne savaient plus comment descendre, il les avait aidées et déposées à terre l'une après l'autre. Sans sermons ni paroles inutiles comme Mandjet, par exemple, qui aimait tellement prêcher. Il leur donnait du miel et des fruits sauvages qu'il trouvait en travaillant dans les champs. Une fois qu'elle s'était ouvert l'orteil sur une grosse roche, il l'avait pansée avec des mains douces, douces, couvrant la plaie d'un petit emplâtre de feuilles. Non ! Mesketet ne pouvait pas avoir fait du mal à Néfertiti. Elle ne comprenait pas pourquoi Mandjet était tellement certaine qu'ils étaient partis ensemble.

Méritaton connaissait sa sœur : curieuse, téméraire comme un garçon, ignorant la peur. Elle était tout à fait capable de s'être risquée toute seule, loin, loin, bien au-delà des limites de la propriété, jusque dans les bois où habitent les bêtes féroces, ou au contraire dans la direction de la mer qui poussait ses rugissements de fauve de jour comme de nuit. Méritaton l'imagina morte de mille façons. Couverte de sang, le corps broyé, déchiqueté, ou bien emportée au large par une lame et flottant sur la haute crête des vagues. Tant et si bien qu'elle finit par se faire peur et pleura à son tour.

Il commençait à se faire tard.

Chaque jour, à la fin de la journée, la pluie redoublait et ses gouttes tombaient serrées et brûlantes. Malgré son chagrin, Méritaton s'amusa à quelques glissades dans la boue, puis décida de revenir vers la maison. A mi-chemin, elle s'arrêta net. Rudolf était agenouillé à l'intérieur de la cage déserte. Preste, elle se cacha derrière un arbre pour mieux l'observer. On aurait dit qu'il priait, mains jointes, tête levée vers le ciel. Il restait là, sans bouger, sans prêter attention aux flots qui dégoulinaient de sa figure à son torse. Et le spectacle de ce grand corps roide, ancré dans la terre, était tellement inattendu, tellement terrifiant que Méritaton se mit à courir sans regarder devant elle, de toute la vitesse de ses jambes.

Elle se heurta violemment à son père.

Méritaton n'avait jamais fait grand cas d'Aton dans sa vie. Il ne causait pas avec elle, il la regardait à peine à vrai dire. Il passait le plus clair de son temps dans des dévotions auxquelles elle ne comprenait pas grand-chose. Elle savait que c'était à cause de lui qu'elle menait cette vie si particulière. Pourtant, à la différence de Néfertiti, elle ne lui en voulait pas. Elle ne le prenait pas pour un être comme les autres, même si elle ne le croyait pas tout à fait un dieu. Parfois, le soir, pendant les leçons de théologie, quand ses paroles se paraient de la redoutable beauté du mystère, elle se demandait qui il était.

« Maat n'était pas seulement la justice et l'ordre. Maat, fille de Rê, émanation du Soleil, était en même temps le souffle de vie et peut-être aussi la lumière. Cette entité primordiale apparaît dans la formule Kha-em-Maat... »

Elle allait donc murmurer à la hâte quelques paroles d'excuse et continuer son chemin quand il la retint par le bras en disant d'un ton suppliant :
– Viens prier avec moi !
Sa terreur fut à son comble. C'était comme si un muet lui avait soudain adressé la parole. Elle se dégagea d'une seule bourrade et atterrit sur la galerie, à quelques pas d'Ute.

Ute était dans le tourment à cause du jeu gratuit et cruel que Mesketet semblait avoir joué avec elle.
Pourquoi lui avait-il proposé de quitter la colonie avec lui pour en fin de compte s'enfuir avec Néfertiti ? Il était donc qu'un dévoyé qui menait deux séductions à la fois, qui abusait et d'une enfant et d'une pauvre jeune fille qui ne lui avait rien fait. Ainsi c'était la vérité. Mandjet, sa compagne de tant d'années, n'hésitait pas à l'accuser du pire des crimes ! Sans doute

savait-elle mieux juger! Elle revoyait la figure somme toute sympathique de Mesketet. Elle entendait ses paroles :

— La vie chez moi, à Port-Louis, ne sera pas pareille à celle que tu as vécue avant, à Berlin. Pour nous, c'est la mer seule qui compte. Chaque matin, nous espérons sa belle humeur. Est-ce qu'elle nous donnera ce qu'il nous faut pour la journée ? Est-ce qu'elle se mettra en colère ?

Parfois aussi, il lui parlait de sa mère :

— Au début, elle se méfiera de toi. Qu'est-ce que tu veux ? Les Blancs nous ont fait tellement de mal dans le temps où nous étions esclaves. Mais si tu sais trouver la clé de son cœur, elle te l'ouvrira grand, grand!

Et elle se prenait à rêver d'un lendemain tout neuf.

Oublier Berlin! Oublier son existence sans air ni lumière!

Pourquoi Rudolf avait-il salué avec tant d'enthousiasme la chute du Mur et la déroute du communisme ? C'était affaire de politiciens! Dans leurs vies à eux, petites gens de l'Ouest, cela ne signifiait rien. Même routine, même monotonie, mêmes tracasseries quotidiennes! Mêmes fins de mois difficiles, mêmes vacances parcimonieuses!

Ah! oui, Mesketet lui avait offert de nouveaux ballons d'espoir coloriés comme des rêves. Elle s'y accrochait, puisque ceux de Rudolf avaient si misérablement crevé! Seules les apparences étaient contre lui. Elle exécuterait leur plan comme si de rien n'était et le rejoindrait au moment prévu devant la cathédrale. Si quelqu'un avait abusé de Néfertiti, il n'était pas ce coupable et n'avait rien à voir avec sa disparition. Peut-être, comme le disait Nakhtmin, l'avait-il prise en pitié et l'avait-il emmenée à Santa Marta auprès de sa mère ? Ute se demandait si la maladie et l'absence de Tiyi étaient les seules causes du changement que tous ceux qui avaient des yeux pour voir constataient en Néfertiti. Autrefois petite fille arrogante, libre et joueuse, elle s'était mise à ressembler à ces enfants martyrs que l'on voit à la première page des tabloïdes. Une fois, le journal *Das Bild* avait montré la photo d'une fillette violentée par son père et son frère, et qui s'était réfugiée dans la mort pour leur échapper. Néfertiti avait la même expression.

Néfertiti n'était pas la seule personne de la colonie qui semblait métamorphosée. Comme elle, Rudolf n'adressait plus la parole à personne ; il ne s'attardait pas aux repas, avalant ses bouillies en vitesse et n'accompagnait plus Aton dans ses dévotions. Ute avait voulu y voir clair. Un soir, alors qu'ils étaient seuls dans leur chambre, elle avait essayé de lui demander pourquoi il était tellement transformé et ce qui se passait dans le secret de son cœur. Elle voulait savoir s'il s'était mis à douter d'Aton et s'il avait enfin compris ce qu'il était et qu'elle-même avait vu à son premier coup d'œil : un illuminé, un fou dont la place était à l'asile. En ce cas, est-ce qu'ils ne feraient pas mieux de quitter cette colonie qui n'était qu'un mouroir ? Pour seule réponse, il s'était tourné sur le côté et s'était enfermé dans le silence. Quel lien caché, secret, y avait-il entre Néfertiti et Rudolf ? Une fois qu'elle cherchait dans le fond du parc quelque baie, quelque fruit sauvage pour apaiser sa faim, elle les avait vus debout près de la cage, dans le pépiement des oiseaux. Elle se tenait à quelques pas de lui, la tête basse. Il semblait tour à tour la menacer et la supplier. A un moment, il l'avait saisie par le bras !

C'était peu pour étayer des soupçons !

Pourtant est-ce que tout cela la concernait ? Ce qui comptait, c'était demain ; c'était sa vie en Guadeloupe. Elle devait faire confiance à Mesketet et le rejoindre à l'endroit convenu. Le souvenir de tout le plaisir qu'il lui avait donné répandit sa chaleur à l'intérieur du corps d'Ute. Avec un vertige, elle considéra toute la vie qui s'étendait devant elle remplie de baisers et de caresses plus intimes encore.

Un bon moment, Aton regarda Méritaton s'enfuir, bondissant comme une chèvre sur les hautes herbes luisantes. Puis, la gorge nouée, il retourna à ses prières.

L'or fin n'est pas comparable à ton éclat
Tu es le Sculpteur qui t'es fondu toi-même
Ô modeleur qui n'a jamais été modelé
L'Unique en son genre qui parcourt l'éternité...

La saison des pluies et la couverture de nuages opaques du ciel lui semblaient le symbole même de sa disgrâce. Chaque fois qu'il levait les yeux, il mesurait l'étendue du courroux de son double. La maladie de Tiyi et son absence lui paraissaient autant de signes qu'il avait démérité.

Mais il ne savait pas ce qu'il avait fait pour être laissé dans le noir.

Jamais auparavant le Soleil ne l'avait traité pareillement. Même au cours des hivers interminables de l'Ile-de-France, quand les villes et la nature se languissent sous l'empire de la noirceur, il s'arrangeait de façon subtile pour lui signifier sa dilection. Ainsi quand Aton était assis grelottant sous le lourd toit du marché de Montreuil, son double lui souriait, caché dans l'éclat

des oranges à chair sanguine du Maroc. Ou des citrons
oblongs venus par cageots de la Provence.

Qu'est-ce qu'il avait fait?

Était-ce de son adoration pour Tiyi que son double
prenait ombrage? C'est vrai, il aimait cette femme-là
plus que lui-même. Il serait entré dans le feu pour elle
au risque de se consumer. Dans l'eau, au risque de se
noyer. Même s'il savait que la mort n'est qu'un court
passage qui précède la sortie au jour, la pensée qu'elle
allait les séparer le mettait à l'agonie. Voilà pourquoi il
avait accepté qu'elle soit transportée à l'hôpital et
qu'elle reçoive toutes ces médecines impures. Il ne
savait pas qu'elle allait profiter de sa faiblesse pour lui
faire du mal.

Pourtant, il n'y a pas de crime à aimer?

Sennefer avait aimé Senetnay. Aménophis IV Akhenaton avait aimé Néfertiti la première. Toutankhamon,
sa jeune épouse Ankhsenamon.

L'amour qui doit lier les humains les uns aux autres
ne prend-il pas sa naissance dans le couple?

Il regarda autour de lui avec désarroi et aperçut
Rudolf qui le guettait à distance. Aton n'était pas cha-
griné par le départ des Haïtiens, ni même par celui de
Mesketet, un des convertis de la première heure. La
colonie ne devait pas ressembler à un camp de concentration. On y restait par décision de l'esprit et attache-
ment du cœur. Et puis, il avait assisté à tant de départs,
compté tant de défections! Depuis les beaux jours de
Matalpas, des dizaines et des dizaines de fidèles
l'avaient quitté. Il ne formulait qu'un souhait à l'intention de ceux qui l'abandonnaient: fasse le Soleil qu'ils
vivent une meilleure vie! Quant à Néfertiti, il ne se
préoccupait pas de sa disparition, car il n'y voyait pas
de mystère. Elle était sûrement partie pour retrouver sa

bien-aimée maman, car chacun pouvait voir qu'elle s'étiolait dans son absence. Par contre – et c'était étrange –, le comportement de Rudolf le taraudait comme une plaie. L'arrivée à La Ceja de ce garçon, venu d'Allemagne pour l'appeler « Maître », avait flatté ce qui lui restait de vanité. Le respect infini qu'il lui manifestait, ses attentions soutenues, son ardeur à s'initier aux aspects les plus ardus de la connaissance lui donnaient l'illusion qu'il n'avait pas entièrement échoué et que l'avenir n'était pas une porte fermée. C'est vrai qu'il l'avait placé au-dessus des autres membres de la colonie, au-dessus du fidèle Mesketet, au-dessus des Haïtiens ! C'est vrai qu'il s'était imaginé qu'il en ferait un savant, un philosophe ! Il tournait déjà les pages du livre que Rudolf écrirait à sa gloire et qui témoignerait aux générations futures de ce qu'il avait été. C'est ainsi qu'il avait commencé à lui raconter sa vie. Depuis le mois de mars où il était né, en plein mitan du carême. Sécheresse sur la Grande-Terre. Les herbes sèches flambaient comme des boucans sous le Soleil qui ne connaissait ni coucher ni lever. Les arbres se fendaient de toute leur hauteur. Une croûte recouvrait le fond des mares. Et les *koulis*, le plat des pieds en feu, couraient derrière leurs bêtes sur les calcaires à ravets. Morena avait senti une brûlure dans son ventre. Le temps de dire « Bon Dié », et une boule lumineuse était tombée à ses pieds. Après cela, elle pouvait répéter à ceux qui voulaient l'entendre :

– Je n'ai pas perdu les eaux. Mes eaux, c'était du feu !

Malgré toute cette faveur, du jour au lendemain, Rudolf l'avait lâché ! S'il ne croyait plus en lui et en son double, pourquoi ne faisait-il pas comme les autres et ne retournait-il pas dans son pays ? Il préférait rester à le

narguer, à flatter Néfertiti, une enfant, à la manger des
yeux comme une dame catéchiste un saint sacrement
exposé à l'église le vendredi. On aurait dit qu'elle seule
comptait pour lui. Il mettait des couronnes de fleurs
autour de son cou et de sa tête ; il lui apportait toutes qualités d'oiseaux qu'il allait chercher au fin fond des bois.

Aton et Rudolf restèrent un long moment à se regarder
de loin. Puis Rudolf s'avança et Aton fut saisi par le
ravage de ses traits. Les joues creuses. Les paupières
boursouflées. Les lèvres tuméfiées. Comme s'il passait
son temps à sangloter. Soudain, il sembla qu'une force
supérieure à la sienne commandait Rudolf et le prenait
aux épaules. Lentement, il ploya les genoux, tomba par
terre et baissa la tête, murmurant d'une voix que l'on
entendait à peine :

> *Salut à Toi, Aton,*
> *Disque solaire vivant qui as inauguré la Vie.*

Rudolf resta à fixer Aton avec des yeux suppliants. Il
semblait se battre contre lui-même tandis que sa bouche
s'ouvrait et se fermait sur des paroles qu'il n'arrivait
pas à prononcer.

Aton ne savait que faire. Il le sentait, l'autre était
dans un grand désarroi. Mais son propre chagrin le
paralysait. Et puis, il n'avait à lui offrir que des litanies
et des dévotions toutes faites. Entre les deux hommes, le
silence sembla s'éterniser. Au bout d'un moment,
Rudolf se releva, épousseta ses genoux et s'en alla droit
devant lui.

17

De Santa Marta à Barranquilla, le trajet dure à peine une heure et demie.

Personne ne leur prêtait attention dans l'autobus. Pas plus noirs, pas plus hauts ni plus costauds que certains, ils auraient pu être nés sur cette côte quelque part entre Palomino et La Boquilla, dans un des innombrables villages où les pêcheurs maniaient leurs *atarrayas*, ou alors de l'autre côté du pays, sur la côte Pacifique, dans un de ces anciens *quilombos* où, fuyant l'étampage et les coups, des bandes de Noirs s'étaient réfugiés et vivaient selon leurs goûts depuis des siècles.

Eux-mêmes se sentaient à l'aise comme s'ils n'avaient pas quitté Haïti et étaient montés à bord d'un *tap-tap* pour se rendre à Saint-Marc ou au Cap. A travers les vitres, le paysage leur était familier.

Cocotiers, bananiers, manguiers, goyaviers, champs d'ananas. Plages de sable blanc. La pluie avait enfin cessé et le soleil rendait à la nature ses couleurs violentes. A l'intérieur de l'autobus, dominant les criailleries des passagers, la radio beuglait des airs qui ressemblaient à ceux qu'ils entendaient depuis l'enfance, biguines, calypsos ou merengues. Seule la présence des Indiens, tristes et renfermés en eux-mêmes, marchant à la queue leu leu le long de la route dans leurs habits sans couleur, rappelait que cette terre n'était pas la leur. Un panier de volailles entre les jambes, Thoutmès était serré contre un vieil homme de peau à peine plus claire que la sienne qui lui racontait une histoire où, comme toujours, la misère avait joué le beau rôle. Sa femme était morte à la peine, ses filles étaient parties chercher du travail à Bogotá, son fils était allé courtiser la fortune au Venezuela. Il restait seul, tout seul avec ses souvenirs et les douleurs de ses os. Thoutmès le comprenait sans trop de mal, car il savait un peu l'espagnol. Dans sa première jeunesse, il avait enjambé la frontière et porté la Sainte Parole à Santo Domingo aux Haïtiens travaillant dans le sucre amer. Il avait aussi visité des communautés immigrées à Cuba! Bon Dieu, il en avait connu des pays dans sa vie d'homme! Quand son temps viendrait, il ne dirait pas « Va t'en » à la mort.

Devant lui, coincée entre celles de Nakhtmin et Maat, la tête de Ramosé sur laquelle mordaient les épais cheveux crépus se balançait dans toutes les directions au gré des mouvements de son sommeil et des arrêts de l'autobus. Pour finir, Nakhtmin la cala étroitement contre son épaule. L'intimité de ce geste blessa Thoutmès. Franchement, il se demandait s'il avait bien fait de revenir auprès de ses anciens compagnons. Seule, Maya avait frappé ses deux petites mains l'une contre l'autre et grimpé sur ses genoux dans sa joie de le revoir. Il se sentait exclu. D'une manière secrète, Ramosé lui faisait sentir qu'ayant mené le groupe là où il l'avait mené il n'avait plus voix au chapitre et commandait comme un enfant. Certes, Maat lavait son linge et lui donnait à manger, mais sans aucune des attentions d'autrefois. Avec indifférence ou avec brus-

querie. Même Nakhtmin qui était venue le chercher à
La Ceja ne faisait plus cas de lui. La nuit, il restait couché au bord de l'unique lit de la residencia sans se
mêler, les entendant gémir et crier. Il aurait aimé que
l'un d'eux le sollicite de la parole ou du geste. Mais
personne ne le faisait. Il se rappelait le temps où il était
seul avec Marta, et Fleurlise, le temps où toutes les
paroles qui tombaient de sa bouche étaient respectées.
Seul entre deux femmes à sa dévotion ! Ah ! le bonheur
de ces années-là !

C'est Maat qui un beau matin avait introduit
Ramosé dans leur tranquillité. C'était un ancien
employé des Postes, une forte tête que l'on avait ren-
voyée lors des grandes grèves de Port-au-Prince et qui,
depuis lors, pour quelques gourdes, faisait l'écrivain
public au marché de Fer et écrivait des lettres pour les
parents émigrés à New York, Montréal, Miami,
Bruxelles, Paris, tout partout où la misère d'Haïti
essaime. Pourtant tout le monde savait qu'il ne songeait
qu'aux femmes. Dans le secret de son cœur, Ramosé
n'avait jamais eu foi dans la religion. Tant que Thoutmès avait imposé sa loi, il avait été bien forcé de faire
semblant. A présent qu'il était le maître, personne ne
nommait plus le nom du Bon Dieu dans la maison ! On
se couchait, on se levait, on mangeait comme des
mécréants. Une fois qu'il n'avait pu retenir une cri-
tique, Ramosé l'avait raillé :

– Prier ? Mais qui ? Dis-nous qui tu veux qu'on
prie. Papa Legba ? Le Saint-Esprit ? Ou bien le Soleil ?

Il n'avait rien su répondre. Il n'avait pas su répondre
ce qu'il avait finalement compris. Ce sont les humains
qui donnent des noms à Dieu et se querellent à ce sujet.
Dieu est Dieu. Le Créateur. Le Tout-Puissant. Quoi
qu'il en ait, Aton ne détenait pas plus la vérité que le

180

hougan * dans son *houmfort* * ou le pape dans sa basilique. Dieu est Dieu. Le même sous tous les noms dont l'ignorance des hommes l'affuble.

On traversa un pont sur le Magdalena et Barranquilla apparut, s'étirant sur la rive, par-delà les flots paresseux, encombrés de navires. Des cargos vétustes, douteux routiers dont les coques décolorées devaient cacher des charges de drogue, voisinaient avec de grands paquebots blancs, luxueux, pareils à ceux des croisières pour riches vieux-corps. Ils arrivèrent au centre de la ville et durent changer d'autobus. Pour cela, il leur fallut marcher de la plaza de Bolívar à la calle 44. Barranquilla était une ville bruyante et sale, sans rien de la grâce de Santa Marta. A chaque pas, des femmes accroupies sur le bord du trottoir ou abritées sous des auvents offraient des fruits, coupés en tranches ou en dés, et de gros beignets de farine de maïs entortillés dans du papier. Une fois les billets achetés, Ramosé n'ayant plus guère de pesos, ils durent tromper leur faim avec des tranches d'ananas. Maya n'arrêtait pas de pleurer et de passer de bras en bras. L'angoisse les prenait à présent. Qu'allaient-ils trouver à Cartagena ? Personne ne savait ce que le père président venait y faire. Ni combien de temps il y resterait. Ni là où on pourrait le trouver.

Qui les renseignerait ?

Les trois heures de trajet qui leur restait à parcourir leur parurent sans fin. L'autobus était rempli de jeunes Américains, tous pareils, des *mochilas* achetés aux Indiens arhuacos suspendus à l'épaule et portant d'identiques sacs à dos. Ils riaient, parlaient

---

* Prêtre et temple vaudou.

entre eux, se passaient ouvertement des cigarettes de marijuana et l'air était épaissi de fumée.

On entra dans Cartagena à la nuit.

Au Banco de la República, Mesketet avait l'impression que tous les yeux étaient fixés sur lui. Ceux des employés derrière leurs guichets vitrés, ceux des clients dans les files. Maladroitement, il tira son argent de sa cachette et le tendit au jeune homme qui le considérait de ses yeux soupçonneux. Il y avait des billets français, jaunes ou orangés, avec leurs dessins familiers et d'autres, des bleus, des bruns, étrangers qu'il n'avait jamais vus. Il ne savait pas quelle somme tout cela représentait et son cœur battait d'angoisse. Le jeune employé lui dit quelques mots auxquels il ne put répondre que par un geste d'incompréhension. L'employé les répéta plus fort comme s'il était sourd et il répéta le même geste, avec cette fois un peu d'impatience. L'employé lui fit alors un signe et s'éloigna après avoir glissé quelque chose à ses collègues de droite et de gauche.

Mesketet resta seul, appuyant ses coudes sur le bois du guichet pour se donner une contenance. Derrière lui, des clients s'impatientaient. Il avait honte de ses *locks*, de ses vêtements inélégants, de ses pieds nus dans ses grossières sandales, de son air d'étranger. S'il s'était écouté, il se serait enfui au grand galop.

Depuis son arrivée à Santa Marta, rien ne s'était passé comme il l'espérait. Il s'était vu éconduire de chacun des hôtels de l'avenue du Front de mer. A chaque fois, à la réception, on lui affirmait qu'il n'y avait pas de chambre de libre. Or il était sûr qu'il n'en était rien. On ne voulait pas de lui. Alors, il avait erré à travers les rues, mille fois tenté de renoncer à son plan et de

La colonie du nouveau monde

retourner à La Ceja. Est-ce qu'à la colonie ils s'étaient déjà aperçu de son absence ? Que devaient-ils penser ? ! Il n'osait pas songer à Mandjet. Après la tombée du soir, Santa Marta bruissait d'animation et se parait de couleurs. Tandis que les affiches s'éclairaient en rouge et en vert, les gens sortaient prendre la fraîcheur. Certains se promenaient le long de la mer. D'autres s'agglutinaient à la terrasse des cafés pour boire des *tintós* et de la bière glacée ou bien, par bandes entières, déambulaient par les rues. C'était le moment où les voyous étaient à leur affaire, se faufilant entre les étalages des *fritangueros* pour détrousser les distraits. Passé minuit, tout se calmait et les rues devenaient désertes. Épuisé, Mesketet songeait à s'allonger sur un trottoir ou sur une place quand il avait avisé un bouge de la Carrera 5 devant lequel des putains s'alignaient. Sans lui poser de questions, on lui avait donné une chambre. Mais quelle chambre ! Un cagibi sans air qui contenait tout juste un lit couvert d'un drap grisâtre. Cruellement piqué par toutes sortes d'insectes, il n'avait pas fermé l'œil de la nuit, écoutant les prostituées monter et descendre les escaliers sur leurs talons aiguilles ou se quereller avec leurs clients, généralement ivres et bruyants. Quand il avait fini par prendre sommeil dans le vacarme des cloches d'une église, il avait fait un rêve dont le souvenir le tracassait encore. Il avait vu sa mère pleurant à chaudes larmes, assise dans une berceuse. Il savait qu'il était la cause de ce chagrin, mais il ne pouvait s'approcher d'elle pour la consoler et elle pleurait, pleurait ! Au réveil, comme il n'avait rien mangé depuis la veille, la tête lui tournait et il avait manqué rester étalé dans la crasse des draps. Il aurait bien voulu entrer dans un café, mais devant les regards que les gens lui jetaient, il n'osait pas. D'ailleurs, avec quoi payer puisqu'il n'avait pas d'argent colombien !

Bien avant les heures d'ouverture, il était déjà debout devant la banque.

A l'extérieur, le Banco de la República avait aussi grand air que le musée Tayrona ou l'église Saint-François dont elle n'était pas éloignée. A l'intérieur, elle était toute de verre et de fer forgé, avec au centre un patio où croissaient des plantes aussi hautes que des adultes. Sur un des murs, un portrait représentait un homme encore jeune, l'air content de lui-même, la tunique couverte de décorations : sans doute le président de la République. Mesketet, s'appuyant sur ses souvenirs lointains du LEP, s'était dirigé vers un guichet qui indiquait *Cambio*. Il n'avait jamais changé d'argent de sa vie et ignorait comment on procède.

Au bout d'un temps qui lui parut sans fin, l'employé revint accompagné d'un autre homme, un mulâtre assez corpulent dans son complet veston, le cou serré par une cravate. Une étiquette sur son revers indiquait : « Oscar Trompa ». Il salua Mesketet d'un geste, lui sourit avec bienveillance et baragouina dans un français appliqué :

— Il faut un passeport pour changer des devises. Est-ce que vous possédez un passeport ?

Sur la réponse négative de Mesketet, il sourit à nouveau avec encore plus de bienveillance, consulta l'employé à voix basse et enfin désigna un siège, un des bancs à hauts dossiers ouvragés, pareils à des bancs d'église, qui s'appuyaient contre les murs :

— Si vous voulez prendre place quelques instants ?

Mesketet alla s'asseoir.

Pas de doute ! Les employés derrière leurs guichets, les clients qui entraient ou sortaient, tous le regardaient comme une bête curieuse. Il entendait son destin qui s'avançait vers lui avec une force et une détermination implacables, pareil à une rumeur de cyclone, et il avait envie de prendre ses jambes à son cou, de retourner dans la rue. Là, au moins, il était libre. En même temps, il ne pouvait pas bouger et restait assis là, à suer d'angoisse.

Une femme vint s'asseoir sur le banc à côté de lui. Une femme âgée, pauvrement vêtue. Elle se mit à lui parler avec précipitation, à lui montrer des papiers qu'elle tirait de son sac, à lui raconter une histoire à laquelle il ne comprenait rien et il aurait aimé l'arrêter en lui hurlant :

– *Foukan! Foutélkan!* Est-ce que vous croyez que vos affaires m'intéressent? Est-ce que vous ne voyez pas que je suis, moi, en danger?

Car il était en danger, il le savait! Le danger se cachait dans les figures des employés, leurs sourires pleins de fausseté comme dans les fresques des murs, la photo du président, les plantes du patio. Il voyait le dénommé Oscar Trompa regarder dans sa direction, sourire encore et encore, prendre un téléphone placé sous le guichet, composer un numéro, parler, lui faire signe. Il s'approcha. Oscar Trompa souriait toujours de la même façon mécanique et superficielle et le questionna :

– Monsieur... ?

Mesketet avait presque oublié comment il s'appelait : José Mériot. Pas Perinette comme sa mère, parce que son père, qui ne lui avait jamais donné un sou, lui avait donné son nom.

– Monsieur Mériot, nous avons besoin d'une autorisation de la Banque centrale. Patientez encore quelques instants.

Mesketet retourna s'asseoir. Il sentait qu'Oscar

185

Trompa cherchait seulement à gagner du temps. Qu'il débitait des mensonges. Des menteries de menteur. Une fois de plus, il eut envie de courir vers la rue qui dans le grand soleil emportait son flot habituel : hommes, femmes, enfants, voitures.

Il retournerait vers l'abri de La Ceja qu'il n'aurait jamais dû quitter. Il demanderait pardon à Mandjet. Il lui dirait :

– Écoute ! Je ne sais pas ce qui s'est passé dans ma tête. En tout cas, me voilà ! Reprends-moi comme avant !

Quand les policiers entrèrent à vive allure, la main déjà posée sur les lourdes armes à leur ceinture comme dans ces films de gangsters qu'on jouait au cinéma-théâtre La Renaissance, Mesketet sut qu'ils venaient pour lui. Il se leva droit debout, décidé à s'enfuir. Trop tard ! Deux ou trois colosses s'étaient déjà postés à l'entrée de la banque.

Son sourire vissé sur ses lèvres, Oscar Trompa le désigna et les hommes en armes accoururent vers lui. En un éclair, il se rappela les deux fois où il avait eu affaire à la police. La première, là-bas, en métropole, quand il avait cru que sa vie allait finir sous leurs coups dans ce terrain vague. La seconde, quand il avait dû supporter leurs brutalités quatre mois entiers à la geôle de La Pointe. Il savait par expérience que les policiers ne sont pas sortis du ventre d'une femme, nourris au lait de ses seins, frottés dans la douceur de ses mains. Ce sont des créatures féroces, des êtres d'une espèce particulière qui ne méritent pas le nom d'humains. Il se laissa jeter à terre, plaquer contre le carreau, fouiller, mettre les menottes, relever, pousser en avant toujours avec la même brutalité sans tenter de résistance. Dans sa tête, il savait à présent qu'il ne reverrait jamais Port-

Louis, la plage du Souffleur, par beau temps, le dessin bleu des contours d'Antigua à l'horizon. Il n'avait pas peur, il se sentait seulement fatigué. Fatigué à pleurer, fatigué à mourir. Il avança, entouré de son escorte tandis que les gens faisaient le vide devant eux.

Dehors, au moment de monter dans le car de police, à moitié stationné sur le trottoir, il leva la tête vers le Soleil. C'est lui qui devait bien rire à présent!

18

Les yeux grands ouverts, à moitié nu, le corps reposait dans cette frange saumâtre où le sel de la mer se mélange à l'eau douce du río. Sans doute, les courants violents dans les alentours l'avaient amené là où il était, car il semblait avoir traîné pas mal de temps dans l'eau et s'être heurté à beaucoup de récifs. Pour gonflé, boursouflé, ouvert par endroits qu'il fût, on pouvait voir que c'était celui d'une très jeune fille, une enfant en vérité, encore peu formée. Ses seins se bombaient à peine. Ses épaules étaient frêles. Son ventre était en creux. S'aidant avec des branchages tombés de cocotiers, car ils avaient peur de cette peau sans couleur et surtout de ces yeux qui semblaient béer sur le néant, Adolfo et Manoel halèrent le corps sur le rivage. C'était bien leur étoile. La Sainte Vierge n'avait jamais dans son idée de leur faire une faveur, par exemple de leur envoyer des groupes de touristes argentés désirant faire de la plongée dans les criques du parc naturel. Les gens ne venaient dans le parc que pour admirer les forêts enchevêtrées au sud et pour tenter de surprendre les animaux sauvages. Pourtant les récifs de corail au large de Tayrona étaient aussi spectaculaires que ceux des îles de Rosario où les Américains et tous les gens fortu-

nés de la terre se pressaient au coude à coude et la mer
aussi somptueusement violette. Ils se regardèrent, puis
Adolfo, qui était le plus jeune, demanda :

– Qu'est-ce qu'on fait ?

L'autre eut un haussement d'épaules :

– Il faut les prévenir. Ne bouge pas. J'irai tout seul
à Santa Marta.

Il se dirigea vers la camionnette. Resté seul, Adolfo
ne se sentit pas rassuré et fit en vitesse le signe de la
croix. Il n'osait tourner la tête dans la direction de la
petite morte et il alla s'asseoir à bonne distance d'elle.
Vraiment la Colombie ne valait plus rien ! La drogue,
les vols, la violence, des morts dans des criques autrefois
paisibles ! C'était aux alentours de cette même baie de
Taganga que son père était venu sur terre et avait
gagné sa vie en jetant des filets aux poissons. A présent,
la pêche ne nourrissait plus son homme. Si l'on voulait
continuer à rester avec la mer, on devait inventer toutes
sortes de ruses. Des cours de plongée sous-marine, des
promenades dans des bateaux à fond de verre.

Une grande heure se passa, puis Adolfo entendit le
bruit des moteurs. Sans se presser, l'air maussade
comme s'ils accomplissaient une corvée, des policiers
s'approchèrent du cadavre.

Aussitôt, l'un d'eux se mit à hurler :

– Pourquoi l'avez-vous tirée sur le bord ? Est-ce que
vous ne savez pas qu'il ne faut rien toucher ? On
apprend cela au cinéma !

Ils commençaient, les ennuis ! Bientôt, on allait les
accuser d'avoir tué cette fillette qu'ils n'avaient jamais
vue de leur vie. Dans son écœurement, Adolfo fit face à
la mer tandis que son aîné répondait aux questions.
Qui ils étaient ? Deux honnêtes travailleurs.
N'importe qui à Santa Marta pouvait fournir des ren-

seignements sur leur compte. Au bout d'un temps qui sembla une éternité, les policiers firent glisser le corps sur un brancard et retournèrent vers leur car. Manoel héla dans leur dos :

— Et nous ? Qu'est-ce que nous faisons ?

— Vous venez avec nous !

Voilà ! Une journée de perdue !

19

Depuis quelques jours, Tiyi s'aventurait à pas tout petits de vieillarde autour de sa chambre. Elle pouvait même se tenir debout devant sa fenêtre sans s'accrocher aux barreaux du lit, à s'étourdir de l'animation de la cour et, par-delà la verdure des arbres, à respirer l'odeur de la mer qui mettait aussi un goût de sel sur sa bouche. Les médecins étaient enfin rassurants. Si cette amélioration se confirmait, dans trois semaines, deux peut-être, elle pourrait quitter l'hôpital.

Pour aller où ?

Cette terrible interrogation ne lui laissait pas de répit. Allait-elle reprendre sa vie comme si de rien n'était à l'endroit où elle l'avait laissée ? Retourner à La Ceja ? Retrouver Aton, la grande demeure sans confort, les privations de toute sorte et l'avenir barré ? Il semblait à Tiyi que sa maladie avait fait d'elle une personne entièrement différente qui haïssait l'existence qu'elle avait menée et ne pouvait envisager un seul moment de la revivre. Plus rien ne semblait justifier ses choix du passé. Sa haine de sa famille et des bourgeois de La Pointe lui paraissait une pose absurde. Absurde et criminelle. Puisqu'elle avait abouti à la mort d'une innocente. En fait, si le corps de Tiyi renaissait, son esprit était tourmenté. Tout était cause d'angoisse et de tristesse. Ses nuits n'étaient qu'un enchaînement de mauvais rêves au point qu'elle redoutait de s'endormir et préférait encore rester les yeux ouverts dans la noirceur à se ressasser les mêmes questions. Elle se demandait sous quel nom elle pouvait s'adresser à sa petite fille mutilée, mise au tombeau avant de naître. Dès qu'il avait été informé de sa conception, Aton avait consulté le Soleil qui avait donné sa réponse. Ce troisième enfant devait s'appeler Meretseger. Or précisément, il semblait à Tiyi que ce prénom avait appelé le malheur et la mort. Aussi, dans son cœur, l'avait-elle baptisée tout autrement. Julia. C'était le nom d'une tante, d'une sœur aînée de son père, qui ne sortait jamais même pour se rendre à confesse et prendre la communion le dimanche, et qu'on apercevait aux repas de famille, ombre silencieuse en bout de table. On murmurait qu'elle était atteinte de folie douce. Une rumeur racontait pourquoi. Dans son jeune temps, elle se serait amouraché d'un rien du tout, un préposé aux cuisines à bord du *Colombie*, qui n'avait pour lui que ses deux yeux bleus de Breton. Devant l'opposition de la famille, le couple aurait projeté de fuir en métropole. Mais les frères Lameynard, s'opposant de toute leur carrure à cette mésalliance, auraient intercepté leur sœur au pied de la passerelle du paquebot, juste au moment de l' « Adieu foulards, adieu madras ». Aux yeux de Tiyi, ces deux existences torturées, sacrifiées, n'en faisaient qu'une.

A d'autres moments, Tiyi se désolait à l'idée qu'elle ne connaîtrait jamais les traits de son enfant. Elle avait beau s'efforcer de lui imaginer une figure, des yeux étroits et brillants, de hautes pommettes, une bouche en bouton de fleurs, un petit nez plat, une poignée de

192

grains de beauté sur la joue gauche, elle s'apercevait qu'elle ne faisait que copier Néfertiti ou Méritaton et elle sanglotait interminablement.

Quand il venait la visiter, chaque jour, à la même heure, passant à chaque fois des heures auprès d'elle, Enrique Sabogal lui apportait des fleurs. Des roses. Des glaïeuls. Des anthuriums. Des œillets. Des oiseaux de paradis. Des dahlias. Des lys. Et des orchidées. Toutes les qualités d'orchidées, rares et précieuses, dont la Colombie, aimait-il à dire, comptait des milliers d'espèces. Or précisément, cette profusion de fleurs dans sa chambre lui rappelait les décorations florales aux parois des demeures d'éternité égyptiennes et elle se voyait trépassée à son tour, attendant le jugement de Dieu pour ses crimes. Tous ses crimes : contre son enfant; celui-là, c'était le dernier en date et le plus grave; mais aussi crime contre sa mère, contre le souvenir de son père. Car Doudou Lameynard avait mérité mieux que ce figuier maudit de fille. Tous ces morts sur sa conscience !

Enrique Sabogal ne se lassait jamais de ses humeurs. Quand elle pleurait, il la prenait contre lui et lui soufflait à l'oreille des raisons d'exister. Ses enfants d'abord et ensuite l'amour qu'il éprouvait pour elle. Amour qui se fortifiait chaque jour davantage, poussant racines au plus profond de son cœur. D'incrédulité, les larmes séchaient sur les joues de Tiyi tandis qu'elle essayait de se considérer par ses yeux. Tellement différente de celle qu'elle avait été. Non plus femme frustrée, usée, finie. Au contraire, pourvoyeuse de rêves et de voluptés. Non plus paria. Mais objet d'attention et de réconfort. Non plus coupable. Mais victime.

Elle savait bien que son cœur n'était pas épris de lui et que son corps ne désirait pour l'heure que la paix.

Mais Enrique et son regard sur elle lui étaient devenus indispensables. Il réécrivait sa vie à sa façon. Avec lui, c'était une autre histoire.

Elle débarquait à Paris, tout droit venue de la chaude serre de Guadeloupe, peu préparée à affronter la froidure de l'Occident capitaliste et celui-ci la détruisait comme il sait détruire les tendres, les naïfs, les rêveurs, les poètes, les artistes, les marginaux, les rebelles. Enrique était intarissable sur les crimes de l'Occident capitaliste et Tiyi, stupéfiée, en partie délivrée, apprenait qu'il était responsable de ses malheurs à l'école de la rue Blanche, de ses échecs de comédienne, de ses dépressions nerveuses à répétition et, pour finir, de sa liaison avec Aton. Comment aurait-elle pu réussir sa vie dans le monde tel qu'il était, sans idéologie pour l'éclairer et la guider ? Enrique en profitait pour lui parler des œuvres, poèmes, romans, peintures, qu'il aimait. Œuvres fortes et militantes. Œuvres de combat. Outre son cher Nicolás Guillén, il adorait Aragon, Diego Rivera et portait aux nues Lorca, le poète martyr. Tiyi, qui n'avait pas ouvert un livre depuis des années, retrouvait en l'écoutant le souvenir des enchantements du temps d'autrefois.

Enrique parlait aussi de lui-même. Des tracasseries à la mairie. De son ambition de devenir poète. Du seul grand voyage de son existence. A Varsovie, à l'occasion d'un festival des jeunesses communistes. La ville lourdement rebâtie après la Seconde Guerre ne lui avait pas fait grande impression. Seul moment d'émotion, la visite du ghetto. C'était là que les nazis avaient entassé cinq cent mille Juifs avant que les *einsatzgruppen* ne les exterminent ? Dieu merci ! de tels crimes ne se reproduiraient plus dans l'histoire de l'humanité. Grâce au marxisme, celle-ci allait faire peau neuve.

Enrique ne proposait jamais directement à Tiyi de venir vivre avec lui. Il se contentait de lui décrire sa vaste demeure de l'avenida Campo Serrano, étroite et profonde comme un puits, entre les façades à balcons en surplomb. Des générations de Sabogal y avaient laissé leur marque, depuis l'ancêtre arrivé avec Rodrigo de Bastidas parmi cent douze Espagnols qui avaient avec eux quelques Indiens pour les servir. Aussi, elle était aussi parlante qu'un album d'histoire familiale où des scribes auraient tour à tour pris la plume. Comme Ramona, son ancienne femme, se levait tous les jours à quatre heures du matin pour se rendre à la première messe de la journée, très vite, le couple avait fait lit à part. Il avait donc repris sa chambre de jeunesse, celle-là même où adolescent, il écrivait dans la fièvre des poèmes à la manière de Nicolás Guillén :

> *Que de bateaux, que de bateaux!*
> *Et que de nègres, que de nègres!*
> *Quel long éclat de canne à sucre!*
> *Quel fouet, celui du négrier!*

Quand Enrique entra cet après-midi-là, en avance de deux bonnes heures sur son horaire, Tiyi sentit à l'instant même qu'il n'était pas venu lui tenir les propos habituels. Ses traits étaient décomposés. Ses gestes fébriles. Sans dire un mot, il s'avança, lui prit les mains et les couvrit de baisers. Elle murmura, remuée dans les grandes profondeurs :

– Qu'est-ce qu'il y a encore ?

Il la ramena vers le lit et la força à s'asseoir. Puis, il s'agenouilla devant elle tandis que, sans orgueil d'homme, il laissait des larmes inonder ses joues.

195

Enfin il eut la force d'articuler :

– Pardon, pardon ! Ayez du courage. J'aurais donné ma vie pour vous épargner cela, cette nouvelle douleur. Il est arrivé quelque chose à votre fille.

Sans surprise, elle questionna :

– Néfertiti ?

Sans surprise. Car cette nuit-là, comme les précédentes, elle avait rêvé d'elle. Elle se trouvait au pied d'un escalier de pierre, interminable et raide comme celui d'un temple mexicain. En haut, elle entendait la voix de l'enfant qui l'appelait à son secours. Elle voulait courir vers elle. Mais à chaque fois qu'elle essayait de monter, la marche sur laquelle elle posait le pied s'effritait, devenait un marécage où elle risquait de s'ensevelir.

Elle demanda à nouveau, mais elle connaissait d'avance la réponse à sa question :

– Morte ?

– On l'a retrouvée au fond de la baie de Taganga. A des kilomètres d'ici.

A ce moment, deux hommes, deux policiers qui avaient probablement attendu derrière la porte, entrèrent à leur tour, gauches, des mines de circonstance accrochées à leur figure. Ils la saluèrent, puis l'un d'eux prononça quelques paroles qu'Enrique traduisit :

– Vous allez venir avec nous pour l'identifier.

– Si j'en profitais pour monter là-haut et les coffrer tous ? Ce serait une bonne façon d'en finir !

Enrique tendit une main suppliante :

– Laisse-moi faire ! Tu as trouvé ton coupable ! Est-ce que ce n'est pas assez ? On vous reproche toujours à la police de ne pas mettre la main sur les malfaiteurs. Cette fois-ci, personne ne pourra rien dire contre vous.

Carlos Nieves ne répondit pas. Il était partagé entre son amitié pour Enrique, amitié qui datait de l'enfance, et son désir de se gagner une réputation de brillant chef de la police de Santa Marta. Car la petite ville n'avait rien à envier au reste de la Colombie. Depuis trop d'années, elle était le théâtre de toutes sortes de délits. Ce n'était pas seulement les prostituées qui pullulaient et transmettaient leurs maladies. Les honnêtes femmes ne pouvaient plus se promener le soir sans se faire voler et violer. En plein jour, des maisons entières étaient cambriolées. En plein jour aussi, des touristes se voyaient offrir par de sympathiques inconnus du *burundanga*, drogue violente que l'on mêlait au tabac ou à la bière. Bienheureux s'ils se réveillaient après quelques heures de sommeil, délestés de leur argent et de leur passeport. Plus souvent, la dose de *burundanga* était trop forte et ils passaient tout bonnement de sommeil à trépas! La rapide capture du Guadeloupéen était à coup sûr un succès. Il avait d'abord été arrêté pour des délits sans gravité : absence de papiers d'identité, vol probable d'un Allemand. Cependant, après la découverte du corps de la petite fille dans la crique, on avait vite compris qu'il avait un crime bien plus noir sur la conscience et on avait reconstitué les faits. Il avait assassiné l'enfant qu'il sodomisait et violentait depuis des semaines. Il avait jeté son corps dans la *ciénaga*, les marais, non loin du parc, grossis par les pluies de la saison qui l'avaient entraîné jusqu'à la baie de Taganga. Il avait alors quitté la colonie, s'était caché dans un repaire de prostituées. Puis il avait cherché à s'enfuir du pays. Il avait beau perdre sa voix en protestations, en pleurs et en dénégations, il était clair qu'il passerait le restant de sa vie dans une prison de Bogotá.

Carlos regarda Enrique et ce qu'il vit le chagrina. Ah! oui, depuis le départ de Ramona, Enrique était bien changé! Lui autrefois si imbu de sa personne! Toujours tiré à quatre épingles, les chemises raides empesées, le pantalon tombant à la verticale sur des chaussures bien astiquées! Il semblait à présent dormir dans ses habits. Ses cheveux ne voyaient plus le peigne et un poil de plusieurs jours lui noircissait les joues et le menton. Carlos fit part de son sentiment :

— Est-ce que tu ne devrais pas demander pardon à Ramona ? J'ai entendu dire qu'elle-même n'attend que cela.

Enrique se leva. Il s'agissait bien de Ramona! Tiyi était internée dans un service psychiatrique et ne reconnaissait personne. Aucune visite n'était permise.

Il aurait d'abord dit qu'elle supportait ce choc avec un courage peu ordinaire. Même quand il l'avait conduite à la morgue pour la redoutable formalité de l'identification, elle n'avait rien trahi, s'appuyant seulement un peu plus lourdement sur son bras. A sa surprise, elle avait demandé un service religieux. Mais Néfertiti n'ayant pas reçu le baptême, le curé de l'église San Francisco avait été sourd à toutes les supplications d'Enrique qui pourtant n'était pas avare pour le denier du culte! La vérité était que, s'il laissait entrer à l'église l'enfant du Loco, comment s'en justifierait-il devant ses paroissiens ? Alors sans fleurs ni couronnes, sans prières ni chants, sans orgue ni harmonium, on l'avait glissée dans le caveau des Sabogal, assez profond pour abriter le sommeil de cette suppliciée. Au cimetière, situé un peu en dehors de la ville face à la mer, les tombes décorées de profusions de fleurs fraîches s'étageaient en hauteur. La mise en terre n'avait pas duré dix minutes. A ce moment-là non plus, Tiyi n'avait pas versé une seule larme et lui ne s'était en rien douté de ce qui allait suivre.

Enrique traversa les locaux vitrés de la police, saluant de droite et de gauche. Belle moisson de crimes! Partout des policiers se mettaient à deux ou à quatre pour interroger les malfrats. Des prostituées en cage s'enrouaient à crier des injures. De jeunes drogués de toutes nationalités attendaient d'être transportés à l'hôpital. Ah non! On ne les voyait pas venir les lendemains qui chantent! La condition du monde empirait et ce n'était pas la fin des idéologies qui allait le guérir de ses maladies. Il restait à Enrique une tâche des plus difficiles à accomplir. Avant de se réfugier dans l'inconscience, Tiyi, il le comprenait maintenant, comme celui qui organise sa fin, l'avait supplié d'aller chercher Méritaton à la colonie et de la prendre sous sa protection.

A cela, comment réagirait Aton?

Son ancien ancien beau-père, l'avocat Serrano, qu'il avait bien été forcé de consulter, l'avait mis en garde contre toute action illégale n'avait pas mâché ses mots :

– Enrique, vous êtes un éternel Don Quichotte! Est-ce que tout cela ne vous a pas servi de leçon? Cette enfant a un père naturel, que je sache! Qui êtes-vous pour vous mêler de son sort?

Mais Enrique était bien résolu à demeurer toute sa vie un Don Quichotte. Ne pas leur ressembler, ne pas devenir comme eux!

Après les jours d'embellie, le ciel s'assombrissait à nouveau. On sentait qu'il allait bientôt recommencer à couler en eau et à abreuver la terre jusqu'à plus soif. A l'horizon, la mer aussi noircissait et des bandes d'oiseaux apeurés cherchaient partout des refuges.

La grille de la colonie était ouverte à tous les vents. Le pire était déjà arrivé. Les habitants ne s'occupaient plus de rien. Enrique aperçut Aton pareil à lui-même, prostré dans l'espace de prières, et Rudolf, debout, un peu en retrait. Il les salua d'un geste et Rudolf courut vers lui. Dans son lourd français, il demanda :

— Et frère Mesketet ? Quand est-ce qu'on va le relâcher ?

Enrique faillit rire. On n'était pas près de le relâcher, frère Mesketet, et son calvaire ne faisait que commencer ! Certes, des esprits raisonneurs avaient raisonné. Ils avaient avancé que si la fillette était à l'évidence victime de coups et de sévices sexuels, rien ne prouvait qu'elle ait été assassinée. Peut-être s'était-elle suicidée en se jetant dans la *ciénaga* ? L'hypothèse n'avait pas été retenue ! On tenait une victime. On tenait un coupable ! Le noble drame de la justice rendue qui ne manque jamais de remplir les yeux de larmes et les poitrines de satisfaction allait être joué pour le plus grand bonheur de Santa Marta !

Rudolf protesta :

— Dans votre pays, c'est ainsi qu'on condamne les innocents ?

Enrique le toisa. Il n'allait pas laisser cet Allemand lui faire la leçon ! Il n'y avait pas si longtemps et l'encre des cahiers d'histoire n'était pas encore sèche, son pays avait donné l'exemple de la sauvagerie et des injustices en tous genres. Trois millions de Juifs rayés de la carte des vivants ! En même temps, il pensait que ce jeunot était encore dans les limbes à la fin de la dernière guerre, à l'heure où Hitler commettait ses crimes. Il s'adoucit. D'ailleurs Rudolf faisait pitié. On aurait dit un condamné attendant sa mise à mort. Était-ce l'arrestation de Mesketet qui le torturait ainsi ? Peut-être simplement souffrait-il des mauvaises fièvres de la saison des pluies. Les Européens y sont sensibles.

Enrique fit d'un ton sentencieux :

— Dans tous les pays, est-ce que la justice n'est pas la même farce ?

Puis il remonta vers la maison.

Dans la cuisine, Mandjet, effondrée devant le potager, pleurait à chaudes larmes et gémissait :

— Ce n'est pas lui! Ce n'est pas lui! Il ne pourrait jamais tuer une enfant!

Enrique s'en voulut d'éprouver si peu de pitié pour elle. Simplement parce qu'elle n'était ni belle ni désirable. Au contraire, laide à faire peur! Noire et tordue comme une racine de palétuvier! Pourtant, dans le secret de son cœur, il pensait comme elle. C'était Mesketet qui lui faisait part des besoins de la colonie : outils agricoles, semences, riz, pétrole. Il le trouvait un peu fruste sans doute; c'était un garçon qui aurait eu besoin de la lumière de l'idéologie pour comprendre que ce sont les hommes et non Dieu qui travaillent à changer le monde. Mais il ne voyait pas devant lui un déséquilibré, capable de s'attaquer à une enfant. Dans sa précipitation, la police avait-elle arrêté le vrai coupable ?

Mandjet s'accrocha à lui. Le toucher sans grâce de ses mains rugueuses le dégoûta légèrement :

— Je voudrais aller le voir à la geôle!

A la geôle ? Il ferait ce qu'il pourrait! Les gens de la colonie l'avaient toujours pris pour leur obligé, l'accablant de demandes, l'obligeant à entreprendre les démarches les plus extraordinaires ou alors à payer de sa poche. Combien de sacs de riz avait-il pris chez son propre épicier! Agacé, il se détourna et dit d'un ton autoritaire:

— Où est Méritaton? Je suis venu la chercher.

20

Méritaton se regarda dans la glace et, malgré sa peine, sourit de plaisir. Elle ne se reconnaissait pas. Elle portait une robe imprimée de fleurs rouges et grises, terminée par deux volants gonflants, des socquettes blanches à pois rouges et des souliers vernis à barrettes. Ces derniers serraient ses pieds habitués à la liberté. Quand même, elle supportait, stoïque. Si elle soulevait sa robe, elle découvrait un jupon blanc bordé de dentelle et, sous le jupon, un slip pareillement orné. Enrique lui avait encore acheté deux robes, deux chemises de nuit, des sous-vêtements et une paire de souliers blancs.

Une seule chose la chagrinait : ses cheveux que le coiffeur avait coupés ras comme ceux d'un garçon, faisant crisser ses ciseaux et sacrifiant ses *locks* qui étaient restés sur le plancher du salon comme des peaux d'animaux après la mue. Enrique avait bien parlé de lui mettre aux oreilles des boucles d'or, mais il semblait avoir oublié cette promesse. Une autre chose la chagrinait. Alvaro, le troisième fils d'Enrique, guère plus âgé qu'elle, mais déjà colosse plus haut que ses frères, la raillait et la tourmentait derrière le dos de son père. Il l'appelait « Negrita ». Il imitait sa façon de manger, de se servir de son couteau et de sa fourchette. Il la pinçait, lui tirait la langue, lui faisait peur dans les corridors sombres de la maison, lui disait, dans sa langue qu'elle ne comprenait pas, des choses qu'elle savait méchantes.

On ne l'avait jamais traitée ainsi. A Matalpas, même pas dans les jeux, les autres enfants de la colonie lui témoignaient, à elle comme à Néfertiti, le plus grand respect, les appelant non pas « sœurs », mais « filles du Soleil ».

Comment venir à bout d'Alvaro ?

Elle aimait bien aussi la chambre qu'Enrique lui avait donnée au deuxième étage juste à côté de la sienne pour qu'elle n'ait pas peur la nuit. Elle n'avait jamais dormi sur une couche aussi molle, enveloppée de draps imprimés. Elle ne se lassait pas d'admirer les rideaux et les doubles rideaux aux fenêtres, les tableaux aux murs, les meubles d'un bois sombre, le tapis et surtout le miroir en forme de pomme où elle se mirait si belle. Elle ne s'était guère vue auparavant. Seule Néfertiti avait trouvé on ne savait où un morceau de glace fendillée qu'elle gardait aussi précieusement qu'un trésor. Ce qu'elle découvrait à présent lui plaisait. Elle était belle !

Chaque soir, Enrique venait la border, l'embrasser et lui tracer une petite croix sur le front. Parfois, il lui racontait des histoires bien différentes de celles que Mandjet racontait quand elle était dans ses bons jours. Des histoires pleines de métamorphoses d'Indiens et d'animaux qu'elle n'avait jamais rencontrés.

A l'exception d'Alvaro, tout le monde était gentil chez Enrique. Les servantes, Marta et Eugenia, qui se querellaient pour la baigner et la gaver de *mondongo* * afin de remplir, disaient-elles les creux de son corps. Les deux aînés d'Alvaro ; surtout le grand, Fernando,

* Plat colombien fait de bœuf et de carottes.

qui tirait des chicklets de ses poches! Parfois, le soir, ses camarades le rejoignaient et ils jouaient de la musique dans le patio. Elle aimait les sons disparates de leurs instruments. Roberto, le cadet, lui apprenait à danser et assurait qu'elle était douée.

Méritaton pirouetta sur elle-même, s'admira encore, puis, sans transition, s'assit sur son lit et se mit à pleurer. L'approche de la nuit ravivait son chagrin et, malgré la gentillesse de tous ces étrangers, son sentiment d'abandon. Le souvenir de la colonie de La Ceja lui revenait avec la persistance de certains mauvais rêves. Les jours passés là-bas, sauvageonne, à moitié nue, toujours la faim au ventre, lui semblaient appartenir à une autre vie. Mais, elle ne cessait de penser à sa sœur qu'elle ne reverrait pas, avec qui elle ne jouerait ni ne se querellerait plus jamais. Elle savait qu'un mystère aussi impénétrable que la mort elle-même entourait sa fin et qu'on accusait Mesketet de lui avoir fait des misères. Elle ne le croyait pas. Le Mesketet qu'elle connaissait n'aurait pas fait de mal à une mouche.

Quand ils étaient à Matalpas, Méritaton avait vu une morte. Meryt, décédée en donnant le jour à Horemheb. On avait couvert les cloisons de sa case de tentures jaune soufre avant de la veiller toute la nuit à la lueur des *chaltounés*. Tandis qu'elle était étendue raide sur sa paillasse, tous les membres de la colonie buvaient du vin de carambole, seul alcool permis, et chantaient les hymnes sacrés. Puis au matin, dans la lumière du Soleil levant, les hommes l'avaient roulée dans une couverture et portée dans le fond de la forêt. On l'avait mise en terre au pied d'un arbre et Tiyi avait expliqué aux enfants qu'elle donnerait naissance à un végétal. Arbre, herbe, plante. Pois doux gris? Mahogany du Sénégal? Génipa? Mapou noir? Néfertiti aussi deviendrait-elle un arbre ? Quelle qualité d'arbre ?

Méritaton pleurait en pensant à sa mère. Quand Enrique lui avait offert de l'emmener avec lui, elle l'avait suivi sans protester parce qu'elle croyait la revoir. Tiyi ! Quand respirerait-elle à nouveau son odeur ? Quand entendrait-elle les notes de sa voix et les gammes de son rire ? Quand s'assiérait-elle sur ses genoux comme dans le temps où elle était toute petite ? Quand mettrait-elle des colliers de graines sauvages autour de son cou ? Quand lui ferait-elle admirer ses derniers dessins ? Enrique lui avait expliqué qu'elle était encore malade à l'hôpital et que personne ne pouvait la voir. Peut-être qu'elle allait mourir, elle aussi, comme Néfertiti.

Méritaton se représenta son existence sans grande sœur, sans maman et pleura plus fort.

Soudain la lumière d'une affiche au néon traversa la fenêtre et dessina une flaque de couleur sur le plancher. Elle s'approcha et regarda la rue. Tous ces hommes et toutes ces femmes qui allaient et venaient, échangeaient des plaisanteries, riaient, la terrifiaient. Dès qu'elle apparaissait parmi eux, leurs regards se braquaient dans sa direction et elle y lisait les sentiments les plus divers. Curiosité. Apitoiement. Mépris. Parfois des femmes s'approchaient d'elle et la mangeaient de baisers. D'autres au contraire faisaient de grands gestes de peur comme si elles voyaient une créature maléfique. Elle entendait autour d'elle un bruissement excité que dominait le mot *loco* et elle savait qu'il était question de son père.

Tout en l'effrayant, ce monde inconnu la fascinait. Elle aurait voulu être comme tous ces gens, à l'aise dans leurs vêtements et dans cette surprenante manière de vivre qu'elle découvrait. Elle espérait le moment où elle ne serait plus qu'une petite fille comme les autres. Pareille aux autres. A toutes les autres.

Enrique lui avait dit qu'elle devrait aller à l'école pour apprendre à calculer, faire des opérations, s'informer d'autres pays que l'Égypte, des pays où vivaient des humains qui étaient aussi ses frères et sœurs, apprendre les langues qu'ils parlaient.

Enrique lui avait dit aussi que, quand elle serait grande, elle devrait choisir un métier. Elle ne savait pas ce qu'était un métier. Alors, il lui avait expliqué :

– C'est quelque chose à quoi on veut consacrer tous les moments de sa vie !

Dessiner, peindre ! Ils n'y suffiraient pas, tous les moments de la vie, pour reproduire les formes et les couleurs du monde !

Les derniers temps, à la colonie, la pluie ne laissait pas sécher les bananiers. Heureusement, elle avait déniché un sac vide qui avait dû contenir du ciment et sur son papier brun, avec un restant de couleurs jaune et rouge qu'elle fabriquait elle-même, elle avait dessiné un tableau pour sa mère.

Tiyi dans l'adoration de la Divinité au matin. Les rayons du Soleil, globe de feu à la gauche du dessin, l'enveloppaient tandis qu'elle donnait sa main gauche à un lion couronné de fleurs. La pensée de l'avenir la remplissait d'excitation. Elle revint vers le miroir et recommença à s'admirer. Ce serait bientôt l'heure du souper et peut-être qu'au dessert il y aurait du *manjarblanco*.

Assise en face d'Enrique, Ute, pâle, visiblement sans forces, pianotait sur le beau bois du bureau. Il s'efforça de commander à ses sentiments. Pas plus que Rudolf, cette malheureuse jeune fille n'était responsable ni de sa couleur ni de son pays d'origine. D'ailleurs, le monde était en roue libre. Les Russes n'étaient plus les Russes, et les Allemands plus les Allemands. Willy Brandt avait mis deux genoux en terre et pleuré toutes les larmes de son corps dans les anciens camps de concentration. Malgré ces considérations, il ne put se retenir de la questionner sèchement :

– Comment m'avez-vous trouvé ?

Elle eut une expression qui voulait le flatter :

– Tout le monde vous connaît à Santa Marta !

Elle se pencha en avant, s'agrippa à ses mains et dit avec passion :

– La police se trompe. C'est une erreur ! Il n'a rien à voir dans le meurtre de Néfertiti !

Enrique haussa les épaules :

– Qu'est-ce que vous en savez ?

Avec des sanglots, elle débita son histoire. Ni elle ni Mesketet ne pouvaient plus supporter la colonie. Alors, après avoir volé l'argent de Rufolf, il en avait des quantités au fond d'une valise, ils avaient projeté de s'enfuir ensemble et de retourner en Guadeloupe via Caracas au Venezuela. Il était parti le premier pour Santa Marta et ils s'étaient donné rendez-vous dans l'église San Francisco. Pendant des jours et des jours, elle était venue l'y attendre comme convenu. En vain. Elle se faisait toutes sortes d'idées quand elle avait vu sa photo en première page des journaux.

– Où, de quoi viviez-vous en l'attendant ?

En lui-même, Enrique s'étonnait du ton de sa voix. On l'aurait pris pour un policier menant l'interrogatoire d'un individu douteux. Elle se troubla, expliquant à la va-vite comment, alors qu'elle traînait perdue par les rues, elle avait fait la connaissance de touristes allemands qui l'avaient prise en pitié et aidée.

– Quelle aide ?

Elle se troubla encore.

Enrique crut comprendre. Avec cette jeunesse, cette blondeur, cet air d'innocence, une femelle de cette espèce retomberait toujours sur ses deux pieds !

Ainsi donc, Mesketet avait trompé Mandjet ? Il s'apprêtait à la laisser en rade à La Ceja avec ses deux yeux pour pleurer ? S'il s'était attaqué à Ute, pourquoi pas à Néfertiti ?

Non, non ! Ces deux affaires-là n'avaient rien de commun. C'était cette garce d'Ute qui avait dû l'allumer avec sa peau blanche ! Il demanda d'un ton moqueur :

– Si ce n'est pas lui, qui est coupable d'après vous ? Un vagabond ou bien un drogué en crise ?

Ute se pencha si près qu'il sentit l'odeur fraîche de sa bouche et souffla :

– Je crois que c'est Rudolf ! Je peux tout vous dire. Depuis que nous étions arrivés à la colonie, nous ne faisions même plus l'amour. Je comprends qu'il avait une autre personne en tête.

Classique vengeance de femme méprisée ! Quand même, Enrique se souvint de son impression la première fois qu'il avait vu Rudolf descendant l'avenida Campo Serrano et même lors de sa récente visite à La Ceja. L'aile noire du malheur flottait sur cet homme. Pourtant, cela ne donnait pas crédit aux médisances d'Ute.

Il dit, très sec :

– Parce qu'il ne vous désirait plus, vous en faites un assassin ?

Elle ne répondit rien. Il reprit :

— Pourquoi êtes-vous venue me trouver? Qu'est-ce que vous voulez exactement?

Découragée par sa rudesse, elle se rencogna dans son fauteuil :

— Il me faut quelques pesos. Juste de quoi aller à Bogotá. J'ai téléphoné à mon ambassade. On m'a dit qu'on pourrait me rapatrier.

Voilà, elle retombait sur ses pieds! Dans quelques semaines, la colonie du nouveau monde ne serait qu'un mauvais souvenir dans sa tête. Une histoire peu courante pour pimenter les jours sans conversation de Berlin!

Ecœuré, il sortit sur le palier pour héler Marta. Celle-ci s'ébranla de la cuisine et se traîna le long de l'escalier, en soupirant à chaque marche.

— Ajoute un couvert et prépare une chambre. Elle restera avec nous cette nuit!

Marta redescendit en hochant la tête d'agacement. Depuis qu'elle était à son service, il n'avait pas arrêté d'héberger des étrangers. Souvent des ingrats qui après lui mordaient la main. Il n'aurait pas dû être militant communiste, Enrique, mais prêtre dans une paroisse. C'était aussi cela qui avait lassé la patience de Ramona. Même plus que son goût pour les jupons. Quelle femme aime un mari panier percé? Jeteur d'argent par les fenêtres?

Enrique n'était pas seulement vaniteux de sa maison. Il était vaniteux de chacun de ses meubles aussi beaux que dans un musée. Dans la salle à manger, il faisait admirer à tous une table ronde taillée d'un seul bloc dans un tronc de mahogany du Honduras autour de laquelle une vingtaine de personnes pouvaient s'asseoir à l'aise et une commode ventrue comme une femme obèse. Après une prière, il servait le *mondongo* avec ces airs de paterfamilias qui irritaient tellement ses enfants, quand la *mulata* Lucrécia entra sans s'annoncer comme si elle était entrée chez elle. Dans le grand tourment du cœur que lui donnait la maladie de Tiyi, Enrique n'avait pas le courage de se retrouver seul, tout seul dans un lit avec ses mauvais rêves et ses insomnies. Alors, il faisait appel à elle. Bien sûr, il avait honte de lui-même. Il aurait donné sa vie pour Tiyi, et en même temps il ne pouvait se retenir de la trahir misérablement !

A chaque fois qu'il avait fini de faire l'amour à Lucrécia, il croyait voir Tiyi, rigide comme le reproche, debout à la tête du lit, derrière le rempart transparent de la moustiquaire. Quand la reverrait-il ?

Sa rechute était un manque de confiance en lui, en la force d'invention de son amour. Car il avait consulté des agences de voyage, préparé tout un plan pour lui redonner le goût de la vie. Il l'emmènerait de l'autre côté de la terre, loin de ces pays sans joie auxquels ils appartenaient tous les deux. Quel malheur d'être né dans le tiers-monde ! On se lève, on se couche avec l'injustice devant les yeux et on ne peut rien contre elle. Il emmènerait Tiyi en Italie. Il la conduirait par la Toscane, l'Émilie et la Lombardie jusqu'aux bords du lac de Côme. C'était un de ses vieux rêves d'adolescence qu'il avait sauvagement réprimé pour des raisons idéologiques. Pour une fois, il oublierait l'idéologie et se promènerait avec elle par les rues de Bellagio jusqu'à la villa Serbelloni juchée comme un phare en haut de son promontoire. A présent, il ne savait quand cela se réaliserait. Bouffée délirante, avaient dit les médecins. Quel vocabulaire ont ces gens-là !

Connaissant Enrique, la *mulata* Lucrécia dévisageait méchamment Ute, en se demandant comment ces cheveux filasse et ces yeux de ciel délavé avaient pu séduire un homme dont on connaissait le goût tenace pour les *morenas*. Elle mettait cela sur le compte de l'âge qui rend les hommes peu regardants quand il est question de chair fraîche.

Ute, elle, ne s'en apercevait pas et regardait Mérita-ton, assise en face d'elle, sa serviette nouée comme un bavoir autour de son cou. Que pensait-elle derrière son masque d'enfance ? Ute aurait aimé éprouver la compassion d'autrefois pour elle. Si jeune, si éprouvée. Mais son cœur était devenu une place aride, un désert où ne poussaient que des cactus. Elle ne pouvait plus s'apitoyer que sur elle-même, pleurer que sur elle-même. Sur tous ces mois perdus, gâchés, finalement terminés par le naufrage de l'espoir. Si elle en trouvait les moyens, elle rentrerait à Berlin et tenterait de reprendre sa vie sans prêter l'oreille aux belles paroles des hommes. Rudolf comme Mesketet lui avaient promis monts et merveilles. L'un comme l'autre, une nouvelle existence. Et à présent elle se trouvait seule sur un chemin qui ne menait nulle part.

21

Si Cartagena, lassée de son propre désordre, s'était enfin endormie derrière ses murailles, Ramosé n'arrivait pas à en faire autant. Recroquevillé sur un banc de la plaza de Bolívar, il regardait le morceau de ciel et les étoiles en débandade au-dessus de sa tête. Autour de lui les ombres des chiens et des chats se faufilaient dans le noir. Il savait maintenant qu'ils ne verraient jamais le père président qui avait peut-être déjà quitté Cartagena. Qu'allaient-ils devenir lui et les autres ?

Pourtant, il en était sûr et certain, son raisonnement était bon. Il avait beaucoup réfléchi en étudiant une carte. Ce que le père président venait chercher en Colombie ? C'était sûrement l'appui des chefs d'État de la région américaine afin de retourner au pouvoir en Haïti ! Pareils entretiens politiques ne pourraient avoir lieu qu'en un endroit construit tout exprès pour ce genre de rencontres. On ne pouvait s'y tromper : le Centro de Convenciones dans le quartier de Getsemani. Il suffisait d'y entrer, de trouver la salle de réunion et de se faire reconnaître. Ramosé avait repéré l'emplacement du Centro. Il était bâti sur le site d'un ancien marché, entre le Muelle de Los Pegasos, ancien port de pêche transformé en marina, et la petite église baroque de Santo Orden.

Aussi au lendemain matin de leur arrivée à Cartagena, alors que le soleil se réveillait à grand-peine, n'avait-il pas traîné. Il avait laissé les autres entortillés dans les draps profiter encore du sommeil et, tout doucement, il s'était glissé hors de l'hôtel de la calle de Media Luna.

La section de la ville où ils avaient trouvé un toit était pauvre et sale. Des compagnies de chiens rongeaient des os sur les marches des plazas. Des chats se poursuivaient en miaulant sur les murailles de pierre et de corail que les Espagnols avaient élevées après l'attaque de sir Francis Drake. D'une église à l'autre – et il y en avait, des églises, à Cartagena! – les cloches s'interpellaient à la volée, tenaces comme des bourdonnements d'oreille. Des prostituées mal dessaoulées, titubant sur les pavés vieux de cent ans, croisaient les bigotes drapées de noir, courant à la première messe. Des sans-logis en ponchos déteints se lavaient la figure à l'eau des fontaines. Sur les marchés, dans une odeur de pourri, des femmes dressaient des étals sur lesquels s'agglutinaient déjà les mouches.

Ramosé n'eut aucun mal à se diriger jusqu'au Centro de Convenciones. C'était un rêve futuriste, une massive construction qui jurait avec les édifices coloniaux aux façades ocre, roses et bleues à l'entour. A première vue, on se demandait si on avait affaire à une prison ou à un mausolée honorant les restes d'un grand homme. Mais Ramosé n'avait guère la tête aux considérations architecturales. Ce qu'il n'avait pas prévu et qui remettait tout son plan en question, c'est que les abords du Centro seraient gardés par une double rangée de soldats, mitraillettes au poing. Impossible de s'en approcher. Tous les touristes étaient repoussés à coups de sifflet. La mort dans l'âme, il ne put rien faire d'autre que se planter à distance et observer les Mercedes Benz déchargeant leurs occupants. Dans chaque silhouette, il espérait reconnaître celle du père président. Mais les heures s'ajoutaient aux heures et son espérance restait déçue.

Que faire ? Tenter de fléchir les policiers et d'entrer dans le Centro ? Lui, un étranger, habillé comme un malheureux. Il valait mieux ne pas y penser. Ces gaillards-là étaient capables de l'abattre d'une balle de revolver. Quand même, il ne pouvait pas se résigner à partir et il s'obstinait à demeurer debout sous le gros soleil qui plaquait sa chemisette molle de sueur contre ses épaules. Le soir, quand il était retourné à l'hôtel, il n'avait pas ouvert la bouche et s'était couché, le nez contre la cloison. Le lendemain matin, avant que Thoutmès et les femmes aient pu lui poser des questions oiseuses, il s'était à nouveau précipité jusqu'au Centro. Rien de changé. Devant les soldats en faction, la journée entière avait consisté en un guet sans résultat. Le troisième matin, en arrivant aux abords du Centro, il avait vu la place déserte. Cela sonnait le glas de ses espoirs. Car l'absence de policiers et la cohue des visiteurs s'engouffrant sous le porche signifiaient que la conférence était finie.

Depuis ce moment-là, Ramosé tournait en rond dans la ville, incapable de rentrer à l'hôtel pour affronter ses compagnons. Comment leur annoncer son échec ?

C'était la punition de son orgueil. Il avait voulu montrer à Thoutmès, montrer aux deux femmes qui il était. Plus intelligent, plus rusé qu'eux tous. Capable par sa seule invention de les tirer du bourbier du destin. A cause de son arrogance, Dieu le moquait.

Dieu ? Quel Dieu ?

Ramosé était né à Fort-de-Paix, un bourg dans les

215

mornes. On mangeait de la misère. Ses parents s'échinaient sans espoir sur un carreau de terre et lui arrachaient des pois d'Angola et du petit mil. Derrière leur case, était dressé un petit autel aux *loas* * qu'ils vénéraient. Ils ne manquaient pas un service. A chaque fois, sa mère, le front serré par un foulard blanc, tournoyait avec les *hounsi* ** tandis que, armé d'un sabre, un cigare planté au coin de la bouche, son père abritait Ogun Badagri à l'intérieur de son corps.

Lui, il n'avait jamais vu dans tout cela que macaqueries! Macaqueries! En cachette, il pissait sur les *vèvè* du temple et buvait le rhum des offrandes.

Pendant qu'à Fort-de-Paix on trompait le malheur à se trémousser, brailler, battre des mains en mesure pour des *loas* sans sentiments, dans le dépotoir de la capitale, les gens s'empilaient dans des taudis sans eau ni lumière et, s'ils avaient grand goût, se calaient le ventre avec des roches. Quand ils se révoltaient contre la misère, ils étaient torturés et jetés au fond des geôles.

A seize ans, il était parti pour Port-au-Prince. Pas pour faire de la politique! La politique, c'est l'affaire des mulâtres ou des nègres riches! Pour essayer de vivre d'une autre façon.

Les premiers temps, tout s'était bien passé. Dans la souffrance générale, il vivait comme un coq en pâte, mangeant deux fois par jour son maïs moulu, jouant à la *borlette* *** pour arrondir ses fins de mois. Puis on l'avait accusé bien à tort d'être un anti-Jean-Claude – tout cela parce qu'il ne baissait les yeux devant personne! – et il avait perdu son job à la poste! Pourtant, même dans la misère où il était tombé, si ce n'était pas

---

* Esprits.
** Jeunes filles initiées.
*** Loterie.

pour Fleurlise, il n'aurait jamais rejoint l'Église des Fidèles du Saint-Amour! Parce qu'il n'avait pas tourné le dos aux macaqueries de ses parents pour se mettre à d'autres macaqueries. Les radotages de Thoutmès lui cassaient la tête à le fatiguer. De quel amour du Créateur parlait-il? Par la suite, s'il s'était attaché au père président, c'est que celui-là ne se contentait pas de répéter les discours trop entendus :

– Supportez, supportez! Résignez-vous!

Il en appelait à tout un chacun et hurlait : « *Fôk sa chanje.* »

Ramosé le voyait bien, s'il était puni aujourd'hui, c'était à cause de sa mauvaise tête de nègre qui veut trouver son chemin tout seul, à coups de ruades et de rodomontades!

Et le père président était puni lui aussi pour avoir fait pareil! Et tous ceux qui essayaient de changer le monde étaient punis de la même manière.

Il se leva. Autour de lui, les chats et les chiens se dispersèrent, effrayés par le bruit de ses sandales sur les pavés. Noire contre la noirceur de la nuit, une statue de Simón Bolívar veillait sur la place. Ramosé ne connaissait pas grand-chose de l'histoire du libérateur. Quand même, il savait qu'il avait tenté lui aussi de construire un monde moins amer, moins ingrat pour certains.

Ce monde de rêves s'était dissous dans la dureté de la réalité. Comme celui du père président dont le torrent populaire avait été détourné!

Un sentiment de révolte échauffa son cœur. Ce Dieu qui commande à tout ce qui vit sur terre, ce qu'il voulait en fin de compte, c'était qu'éternellement les hommes soient comme des enfants qui n'osent pas le fixer dans le blanc des yeux.

Que faire à présent?

Il avait l'impression que cette force qui l'avait tenu debout depuis Santa Marta jusqu'à Cartagena le lâchait et qu'il allait tomber par terre. Il n'avait pratiquement plus de pesos ; à peine de quoi payer la chambre d'hôtel une ou deux nuits encore. A peine de quoi se nourrir de quelques tranches de fruits. Il lui faudrait trouver un job, n'importe quel job, pour ne pas crever dans ce pays où chômeurs et sans-logis semblaient pousser comme l'herbe entre les pavés. Et s'il n'en trouvait pas, devrait-il se mettre à voler ou bien à vendre de la drogue ?

Traînant son corps, il remonta vers la calle de Media Luna. Au-delà de l'église San Roque s'élevaient les bordels aux toits en terrasse où flottaient des draps frais lavés et des sous-vêtements de femmes. Il passa sur les trottoirs devant les fenêtres masquées de rideaux rouges derrière lesquels bruissait la rumeur du vice.

Sa vie l'entourait comme un mur de prison, haut, si haut qu'il ne pouvait voir ce qui se passait derrière son alignement de pierres.

Maat cala Maya contre le corps de Nakhtmin et quitta la chambre sans faire de bruit. On y étouffait. Et puis l'angoisse l'empêchait de dormir. Où était Ramosé ?

Elle avait refusé d'écouter Thoutmès qui lisait avec son feu habituel des passages de la sainte Bible :

Dieu est un bouclier pour ceux qui cherchent en lui leur
refuge
N'ajoute rien à ses paroles,
De peur qu'il ne te reprenne et que tu ne sois trouvé
menteur.

218

Elle s'était allongée loin de lui, mais elle ne pouvait pas s'empêcher de l'entendre et sa colère montait comme une fièvre. Dieu. Dieu. Dieu. Qu'avait-il fait pour qu'on n'arrête pas de nommer son nom ? Que leur avait-il donné dans l'existence ? Et il fallait le remercier encore et encore ! Et il fallait le louer encore et encore !

En traversant la cour autour de laquelle les chambres de l'hôtel étaient disposées, elle cogna du pied dans une poubelle et fit déguerpir une meute de chiens. Excepté à Port-au-Prince, elle n'avait jamais vu autant de chiens. Ils étaient partout, affamés, montrant les dents, à la fois familiers et agressifs.

Où était Ramosé à pareille heure de la nuit ?

Si elle lui avait dit que son idée n'était pas bonne et qu'il ne serait pas possible de trouver le père président à Cartagena, il ne s'en serait pas occupé. Car il était un nègre têtu, un nègre qui ne voulait jamais en faire qu'à son idée. Et à présent, ils étaient là, sans un sou. Elle n'avait pu donner à Maya qui pleurait de faim qu'un peu de lait.

Elle sortit sur le trottoir. Au-dessus de sa tête, l'enseigne de l'hôtel s'illuminait, alternativement verte et rouge. « La Muralla. » « La Muralla. » « La Muralla. » La rue alentour était baignée d'une ombre que blanchissait par endroits la lumière des réverbères ou celle des maisons de passe.

Où était Ramosé ?

Elle aimait cet homme-là ! Elle l'aimait depuis le premier jour qu'elle l'avait vu. Il l'avait abordée un matin vers onze heures alors qu'elle puisait de l'eau à la fontaine dans un tintamarre de bruits métalliques. Il avait pris son seau par l'anse en blaguant :

– Donne-moi ça ! La charge est trop lourde pour toi !

Elle était vite tombée dans ses bras. Trouvant des

prétextes pour ne pas aller prêcher dans les bidonvilles et les hôpitaux ou vendre des livrets de prières et de litanies pour les neuvaines, elle le rejoignait dans sa chambre propre et bien rangée, peinturée en bleu au fond d'un *lakou*. Il était très fier de la chaîne hi-fi achetée du temps qu'il avait son argent et sur laquelle il passait des disques de Bob Marley. Des heures durant, ils faisaient l'amour, bondissant et tournoyant sur les rythmes du reggae. Couchée contre lui, elle oubliait le temps qui s'envolait et subitement se souvenait qu'il fallait rentrer chez elle. Alors elle courait par les rues de toute la légèreté de ses jambes.

Un jour qu'elle était arrivée haletante, en sueur, Nakhtmin l'avait regardée droit dans les yeux et avait demandé, sans jalousie, par intuition :

– Tu vois quelqu'un, pa vré ?

Ne pouvant rien lui cacher, elle avait avoué la vérité. Si elle l'aimait tant, c'est qu'ils étaient pareils, Ramosé et elle. Ils couvaient la même rage dans le fond de leur esprit. Depuis le jour où elle avait vu sa maman vomir des flots de sang sur son matelas et mourir à l'hôpital, elle l'avait senti en elle ! Elle avait beau joindre les mains avec Thoutmès et Nakhtmin, une voix couvrait les paroles des prières et répétait :

– Tout cela, c'est des bêtises !

En même temps, elle comprenait que cela ne sert à rien, la révolte ! A rien. Qu'à vous rendre le cœur amer.

Elle fit quelques pas dans la rue. La nuit l'attirait. La nuit et son désordre l'avaient toujours attirée.

A Port-au-Prince, tandis que les autres dormaient, elle les laissait dans la couche et sortait sur le seuil de la porte. Dans la tiédeur, elle s'asseyait sur un banc et regardait alentour la noirceur piquetée des lumignons des lampes à kérosène.

Port-au-Prince se mettait à ressembler à un grand cimetière illuminé pour la fête des Morts.

De sa place, elle assistait à une débandade qui la faisait rire toute seule. Des ivrognes tiraient des bordées aux quatre points cardinaux ; des voleurs poursuivaient quelque mauvais coup ; des filles cherchaient à monnayer leurs corps ; des sans-logis se rencognaient dans leurs hardes pour dormir. Parfois, elle poussait au coin de la rue et s'asseyait dans le vacarme d'un débit de boissons appelé A la Rose de Lima, ouvert jusqu'aux premières heures du matin. Assis derrière leurs verres d'absinthe ou de tafia, les gens s'étonnaient :

– Hé, hé ! Est-ce que ce n'est pas la Fleurlise de frère Amour qui est là ?

Même les hardis n'osaient pas l'aborder comme elle restait là des heures durant, sans adresser la parole à personne, respirant la fumée et les odeurs d'alcool. Quand elle se décidait à rentrer chez elle, le ciel renversé ressemblait à une calebasse de lait au-dessus de sa tête.

Maat remonta la calle de Media Luna, laissant derrière elle les bouges où, pour quelques pesos, les sans-le-sou abritaient leur sommeil, et, soudain, se trouva dans une artère éclairée. A l'animation qui y régnait, on se serait d'abord cru près d'un marché ; ensuite, on voyait très vite que ce qui se marchandait là, c'était le sexe ! Les femmes montraient sans pudeur tout ce que la nature leur avait donné en cadeau : les rondeurs de leurs fesses, les mornes de leurs seins, les fuseaux de leurs cuisses, leurs jambes nerveuses. Les hommes pareils aux négriers d'antan regardaient, maniaient, pesaient, en voulaient pour leur argent. A chaque accord conclu, un couple s'engouffrait dans la sécurité d'un hôtel de passe.

Une idée traversa l'esprit de Maat. Elle se dit qu'elle pourrait faire comme ces femmes et vendre son corps pour de l'argent. C'était là un moyen éprouvé depuis que le monde est monde et que l'appétit des hommes pour le corps des femmes existe. A bien considérer, ces prostituées n'étaient pas plus jolies qu'elle ni plus jeunes. Plus attifées, un point c'est tout! avec leurs hauts talons, leurs jupes moulantes s'arrêtant à mi-cuisses, leurs décolletés plongeant et leurs colifichets en chrysocale.

Nakhtmin ne lui avait pas fait mystère de son passé. Quand elles étaient deux, elle lui en parlait comme du temps d'une maladie dont on est content d'être guéri :

– Des fois, dans une même nuit, je prenais vingt bougres! Je ne leur laissais pas de temps. Dès qu'ils avaient coulé leur jus, je les envoyais balader! Au suivant!

Et Maat brûlant d'une mauvaise curiosité la questionnait :

– Toi-même, tu ne prenais pas ton plaisir?

– Allons donc!

De l'autre côté de la rue, un homme, un métis d'Indien la fixait. Très jeune. Pas très grand. Pas très costaud. La figure en graine de mangot sous les cheveux plats. Ah non! elle ne pourrait jamais se laisser accoster par un inconnu et se retrouver avec lui entre deux draps nue comme au jour de sa naissance. En même temps, ce regard faisait naître en elle comme un trouble. L'homme lui-même hésitait. Enfin, il sembla prendre son courage à deux mains et traversa la rue. Arrivé à sa hauteur, il hésita encore, lui sourit, puis murmura quelques mots qu'elle ne comprit pas, mais dont elle devina le sens. En un éclair, elle se vit se payant une boîte de lait Nestlé pour Maya, pour eux, du pain frais, des sardines à l'huile d'olive. Elle le regarda et répondit à son sourire. Il répéta ses paroles. Elle eut un geste d'incompréhension et baragouina qu'elle ne comprenait pas l'espagnol. Il hésita à nouveau et ils restèrent là, l'un en face de l'autre, à se regarder avec le même embarras. A ce moment, des camions de police surgirent à toute allure et, dans la clameur des sirènes, se garèrent le long des trottoirs. Pareils à un essaim de guêpes s'échappant de leur nid, les policiers en déboulèrent. Ce fut un beau désordre. Des cris, des jurons, des vociférations. Les prostituées se mirent à courir dans toutes les directions poursuivies par les policiers. Quand ils les rattrapaient, ils les poussaient vers les camions à l'arrêt comme un troupeau de bêtes rétives.

La première bourrade fit valser Maat dans la rue. La seconde la fit tomber sur les genoux avec un ahan de douleur. La main sur le côté, elle se retourna et hurla :

– Je ne suis pas là-dedans; je n'ai rien fait!

Une peur panique la prenait. Pas la geôle. Jamais la geôle! Mais deux policiers la poussèrent et firent claquer derrière elle les portes d'un camion. Noir absolu.

22

Enrique Sabogal évita de regarder Mandjet. Cette fois encore, il se reprochait d'éprouver si peu de compassion pour elle :

— Mesketet est dans un quartier de haute sécurité. Il n'a pas droit aux visites. Pourtant, son avocat, un garçon que j'ai vu tout petit, m'a promis de faire l'impossible. Prenez patience.

En même temps, il songeait à la mascarade de justice qui se préparait. Un avocat requis d'office. Un étranger bouc émissaire. Un jury hostile et pressé de faire un exemple. Mesketet serait lourdement condamné. A travers lui, toute la colonie du nouveau monde serait condamnée et les bourgeois de Santa Marta pourraient dormir sur leurs deux oreilles. Comme Mandjet se mettait à sangloter plus fort, il mentit sur un ton rassurant :

— Ayez confiance en la justice.

Elle ne l'écouta même pas et bégaya pour la millième fois :

— Frère Mesketet est tout ce que l'on veut. Sauf un assassin.

Depuis quelques jours, Enrique s'interrogeait. L'avocat l'avait emmené voir Mesketet et il ne savait plus que penser. Comme il s'y attendait, Mesketet perdait sa peine à jurer son innocence et son affection pour Néfertiti. Il rappelait qu'il l'avait vue naître quand ils étaient à Matalpas et qu'il avait pris part à ses cérémonies de baptême un matin au Soleil levant. Il niait qu'il ait jamais eu dans l'idée de s'enfuir avec Ute. A l'en croire, s'il avait volé l'argent de Rudolf, c'était pour partir pour la Guadeloupe avec Mandjet. A quel moment est-ce qu'il mentait ? Peut-être tout le temps et peut-être était-il bien l'assassin que certains croyaient. Dans le fond, est-ce que nous ne sommes pas tous capables d'être des assassins dans la colère, dans la jalousie, dans l'orgueil blessé ? Par exemple, si Ramona l'avait trompé, il aurait pu tuer son amant !

Au bout d'un moment, il se rappela pourquoi il était venu :

– Je voudrais parler à Aton !

Elle secoua sa tête de bique :

– Personne ne peut s'adresser au Soleil, sauf dans la prière !

Cela le mit en rage. Est-ce qu'ils allaient jouer cette comédie pendant longtemps encore ? La colonie était en débandade. Certains de ses membres étaient morts de mort violente. D'autres derrière les barreaux de la geôle en quartier de haute sécurité et ils étaient là, à respecter un cérémonial qui n'avait plus de signification. Il tira un document de sa serviette et le brandit, criant presque :

– Il serait temps de cesser vos simagrées ! Vous savez ce que c'est ? Un arrêté municipal d'expulsion !

Elle le regarda sans comprendre. Il cria plus fort :

– Cela veut dire que d'ici la fin du mois vous devez avoir quitté La Ceja.

Elle balbutia :

– Pour aller où ?

Il eut un geste d'ignorance et les traits du visage de Mandjet s'affaissèrent encore tandis qu'il répondait :

– Je n'en sais rien. Tout ce que je sais, c'est que dès demain on vous coupera l'électricité et l'eau!

Atterrée, elle répéta :

– L'eau ?

Du coup, elle se leva, courbée, rabougrie par le chagrin et l'inquiétude, et se décida, la panique au fond des yeux :

– Je vais chercher frère Hapou!

Elle s'éloigna, traînant des pieds et boitillant dans la lumière du couchant. La regardant, Enrique dont l'esprit ne se refusait jamais aux rapprochements littéraires, se rappela l'apostrophe de Macbeth à la vue des sorcières : « *You secret, black, and midnight hags!* »

Après la poésie, le théâtre était sa grande passion. Il plaçait Shakespeare, qu'il avait lu et citait dans le texte, au-dessus de tous. Son théâtre lui paraissait la quintessence de l'art de l'Occident et il déplorait que l'Amérique latine n'ait pas produit un barde comparable à lui.

On était dans ces semaines torrides entre les deux saisons des pluies de la côte caraïbe. L'humidité et la chaleur faisaient croître avec une vivacité maligne les bonnes comme les mauvaises herbes, les arbustes comme leurs parasites, les massifs des plates-bandes comme les plantes folles des allées. La lumière aussi prenait une coloration malsaine et auréolait d'un jaune de pus la masse de la cordillère teinte en bleu végétal et profond. La grande maison, elle, était comme aveugle avec ses fenêtres fermées, sauf tout en haut, celles du galetas dont les volets cognaient à grands coups contre la façade. Enrique se rappela le temps guère éloigné où Tiyi allait et venait dans les allées ensoleillées, où Néfertiti et Méritaton gambadaient, jouaient, grimpaient aux arbres, sautaient comme des cabris, où Mandjet et Mesketet retournaient la terre, et il lui sembla que c'était celui d'un paradis à jamais perdu. Que faire d'Aton et des derniers membres de la colonie ? Il désespérait de joindre José Rosario qui se trouvait sans doute à l'autre bout de la terre pour une de ses conférences d'écrivain et, dans le grand embarras où il se trouvait, il devait décider de tout, tout seul et en vitesse. Renvoyer Aton en Guadeloupe ? Personne n'y voulait plus de lui. Henri Gabrillot l'avait encore répété au téléphone. Il songeait qu'il faudrait le rapatrier en France. Après tout, il était français. La France venait de créer un secrétariat d'État à l'Action humanitaire, elle pouvait s'occuper des détresses de ses propres ressortissants au lieu de se mêler des affaires de l'Afrique ou de l'Europe de l'Est.

Enrique faisait de son mieux pour se barricader d'ironie. Il se mentait à lui-même : son cœur était tourmenté. C'était lui qui avait fait venir Aton et les siens à Santa Marta. Il ne pouvait ôter de son esprit l'excitation de l'année passée quand le petit groupe des fidèles était descendu sur le coup de huit heures du soir de l'autobus de la compagnie Coolibertador, chargé de jeunes Américains blancs, mais noirs de crasse, de passeurs de drogue et de toutes espèces de petits trafiquants. Partis deux semaines plus tôt de la Guadeloupe, ils arrivaient de Maracaibo au Venezuela via Maicao. Enrique, vite escorté par une meute de gamins et suivi par les regards de tous les désœuvrés de la ville, les avait installés à l'hôtel. Il ne prenait pas ombrage de cette curiosité et de ces ricanements derrière son dos car, il en était convaincu, bientôt, grâce à Aton, l'image de toute la région du Magdalena changerait. On se presserait pour le voir comme le célèbre ermite de Valladupar ou le *curandero*, guérisseur réputé de Cabo de la Vela.

C'est depuis ce soir-là aussi que Tiyi avait fracassé la porte de son cœur. Il l'avait vue descendre de l'autobus, royale et tragique. A la dérobée, il avait jeté des regards à sa haute taille svelte, à ses jambes élastiques sous le pagne de toile grossière, à tout son corps de déesse africaine.

Tiyi! Enfin, la veille, il avait eu la permission de lui rendre sa première visite depuis longtemps. Il avait frappé à sa porte, tout timide, et avait orné les meubles de sa chambre de cattleyas en pots. L'avait-elle reconnu? Elle le fixait sans prononcer une seule parole et s'était laissé caresser les mains sans réagir. Dans le couloir de l'hôpital, il avait pleuré toutes les larmes de son corps.

La voix de Rudolf, surgissant du jardin, fit irruption dans ce souvenir doux-amer. Il releva la tête et resta estomaqué. Depuis leur dernière rencontre, il lui semblait que Rudolf s'était mis à flotter à l'intérieur de son corps devenu trop grand pour lui. Ses épaules tombaient. Son thorax se creusait. Ses côtes pointaient sous sa peau. Sa figure aussi était méconnaissable. Une figure de damné ou de supplicié où les yeux flambaient d'une flamme bleue comme le gaz butane. Malgré lui, Enrique se ressouvint de sa conversation avec Ute et de ses accusations chuchotées. Rudolf serait-il le vrai coupable?

A part l'antipathie que l'Allemand lui inspirait, Enrique ne pouvait rien avancer contre lui. Il n'y avait d'un peu suspect dans son comportement que cette affaire de cage et d'oiseaux qu'il avait offerts à Néfertiti. Forcément, ces cadeaux avaient dû s'accompagner de rencontres et de conversations avec l'enfant. Que s'étaient-ils dit à ces moments-là? Néfertiti laissait à Enrique le souvenir d'une gazelle sauvage et peu souriante qui l'avait toujours considéré avec hostilité comme si elle sentait ses sentiments pour sa mère. Il n'avait jamais essayé de l'apprivoiser. Pour la première fois, il eut envie de sonder Rudolf et de lui demander brusquement:

– Il y a des gens qui croient que la petite se serait suicidée. Qu'est-ce que vous en pensez? Quel genre d'enfant était-elle?

Puis il eut honte. Dans quel monde vivait-on pour soupçonner ceux qui avaient des bontés pour une enfant? Rudolf était là à débiter:

Je Te salue, Frère,
Au nom du Disque solaire qui a inauguré la vie.

Enrique sentit qu'il n'en tirerait rien et il se contenta de lui résumer en quelques paroles fortes la situation de la colonie pour laquelle il ne pouvait plus rien. Plus rien!

Rudolf ne fit pas un mouvement. Les mots semblaient arriver à son cerveau après un lent voyage au cours duquel ils perdaient leur signification. Enrique insista:

– Est-ce qu'Aton voudrait partir pour l'Égypte?

Car il y avait cette communauté dont Tiyi lui avait vaguement parlé. Sous la direction spirituelle d'un certain Hathor, elle serait établie quelque part dans les environs de Karnak. Autrefois, il avait tenu l'idée pour chimérique. Dans le désarroi actuel, il se demandait si ce n'était pas le dernier espoir. Seul problème : qui acheminerait Aton et ses deux fidèles jusqu'à l'Égypte ?

Dans le temps où la foi menait le bal du monde, les riches finançaient les fous de Dieu. Aujourd'hui, ils se contentaient d'acheter des actions en Bourse.

Alors, ce serait à lui, encore à lui – il ne fallait pas compter sur José Rosario – de payer de sa poche, lui, pharmacien de province qui, bien souvent, donnait aux pauvres les médicaments gratis.

Qui supplier cette fois ?

Depuis des jours et des nuits qu'Enrique retournait cette question dans sa tête, il n'avait pas trouvé de réponse.

Tiyi sortait d'un rêve.

L'air sentait la charogne et la pluie. Dans l'eau froide et sans couleur, les serpents flottaient le ventre à l'air, enroulant les éperons de leurs queues autour des souches des mangles. Des araignées géantes tissaient leurs toiles au creux des yeux des cadavres couchés de tout leur long dans la terre. Des raies molles et des poissons-chats déjà à demi décomposés nageaient en désordre vers leurs tanières tandis que des huîtres affûtaient le rebord de leurs coquilles sur les arêtes des bambous. Une comète mugissait comme une bête à l'agonie. Et puis elle se noyait salissant l'eau de coulées de sanie et de sang.

Odeurs d'épices roussies. De saumure et de viande. Grands torrents de pluie aux arches de la nuit.

Elle ouvrit les yeux sur le visage autrefois familier d'Enrique, à présent redessiné par tout ce deuil. Il était patient ce visage, sûr et patient, fait d'une matière qui ne ressemblait pas à la chair des hommes. Elle étendit la main pour le toucher et s'étonna de le trouver lui aussi inondé de l'eau de son rêve.

23

Parfois Rudolf avait envie de se précipiter à un des commissariats de Santa Marta et de hurler la vérité. On condamnait un innocent : Mesketet n'avait rien fait. Rien de rien. Lui seul était responsable de la mort de Néfertiti.

Les policiers avaient dit que ses poumons étaient remplis de vase et qu'elle avait dû séjourner quelque temps dans la *ciénaga*. Ils avaient dit aussi que des cordelettes végétales étaient nouées autour de ses chevilles et de ses poignets. Quelle détermination! Comme elle en était venue à haïr la vie à côté de lui! A tout instant de la journée et de la nuit, Rudolf l'imaginait s'enfonçant lentement, lentement dans la boue qui atteignait peu à peu sa bouche, ses yeux grands ouverts, puis recouvrait ses cheveux d'un couvercle visqueux. Ensuite, son corps avait voyagé par les grands fonds de la *ciénaga* gonflée par les pluies, jusqu'au río, pour finir jusqu'à la baie où on l'avait retrouvé.

Pourtant, à chaque fois qu'il avait la tentation de clamer son crime, sa lâcheté prenait le dessus. Il n'arrivait jamais plus loin que la grille de la propriété et il restait là, le nez collé aux barreaux, à fixer de ses yeux embrumés de larmes de remords la route peu passante. Une fois cependant, il l'avait franchie et avait pris la direction de Santa Marta. Arrivé à l'endroit où un panneau indiquait la bifurcation du parc naturel, il avait eu peur et rebroussé chemin.

Aton avait-il deviné la vérité?

Il semblait à Rudolf que ses yeux profonds, sans lumière, roulant dans leurs orbites comme des astres morts, avaient vrillé les tréfonds de sa conscience et découvert ce qui s'était passé entre Néfertiti et lui. S'ils n'exprimaient aucune condamnation, c'est qu'Aton le savait : il avait perdu l'objet de sa passion et était à la torture.

Pas besoin de le mettre à la geôle ou en chambre à gaz pour lui enlever ce qui lui restait de vie. Son supplice était assez douloureux.

Ainsi, elle avait choisi de le quitter. De s'engager seule sur le chemin qui n'a pas de retour. Néfertiti comme Araxie. Une fois de plus, il avait perdu celle qu'il adorait. Pourtant, il avait beau s'interroger, il lui semblait n'avoir rien fait pour mériter cette peine. Que lui reprochait Néfertiti? De n'avoir jamais pu lui capturer – autrement qu'en rêve – ce flamant rose qu'il lui avait promis? Il savait que les flamants roses se trouvaient par milliers sur la côte de La Guajira, péninsule aride loin, loin au nord-est, où poussait entre les pieux des cierges une maigre pâture pour les chèvres. Mais il n'avait jamais su comment s'y rendre et le lui avait longuement expliqué. Non! Cela ne pouvait pas être son crime. Peut-être consistait-il simplement à l'avoir trop aimée et trop désirée! Passé les premiers jours où elle avait partagé son feu, elle s'était complètement désintéressée de lui. Quand il voulait lui décrire par le détail ce qu'il ressentait pour elle, elle ne l'écoutait pas et lui donnait le dos sauvagement. Quand il voulait la toucher, la prendre dans ses bras, la caresser, elle le repoussait de toutes ses forces. Alors, il était obligé de la forcer, de la battre, de la violenter.

Petite reine qui jouait un jeu cruel avec ses suppliants rendus gauches par l'excès même de leur passion! Petite reine qui ne savait pas le mal qu'elle leur faisait! Comment aurait-il pu offenser volontairement celle qui était le sel de son existence? Il n'aurait pas assez du restant de sa vie pour essayer de le comprendre et d'expier les fautes que, malgré lui, il avait commises.

Il ne savait plus ce qu'il faisait à présent sur la terre.

Depuis le départ de Mesketet, pour survivre, Rudolf était bien forcé de cultiver la terre. Peu à peu, cette tâche ingrate qui le mettait en eau et lui rompait bras et jambes était devenue la seule chose qui lui permît de supporter l'existence. Il lui semblait que la sueur qui coulait en abondance de son corps le lavait. Grâce à la fatigue qui l'accablait, ses nuits étaient sans rêves, donc sans remords. Quand il s'étendait sur sa paillasse, c'était pour tomber d'un seul coup comme une roche au fond de la fosse du sommeil.

Rudolf déposa sa fourche et se redressa avec peine. Il travaillait depuis le lever du soleil et voilà que celui-ci se couchait dans son bain de sang quotidien. Le manioc qu'avait planté Mesketet venait bien et dressait ses tiges d'un vert sombre, ourlé de noir. On ne savait plus que manger. Mais dans quelques semaines, on aurait de quoi se nourrir en abondance.

Dans quelques semaines ? Où seraient-ils dans quelques semaines ?

Depuis qu'il s'était entretenu avec Enrique Sabogal, une idée faisait son chemin dans la tête de Rudolf. Il était riche. Riche de tout l'argent que lui avait laissé sa mère. S'il avait choisi de vivre comme il vivait et de s'enfuir à l'autre bout de la terre, c'est qu'il n'en voulait pas de cet argent qui symbolisait son milieu, Hanovre, sa famille et surtout le visage détesté de son père. Willy Hartwich, troisième du nom, fier de son compte en banque. Fier de sa maison de pierre, carrée comme un bunker. Fier surtout de son sang pur, franc comme un métal sans alliage. Ce beau sang ne l'avait pas empêché de mettre au monde un malade mental. Car c'est ainsi qu'au procès les avocats qui le défendaient avaient tenté de présenter Rudolf. Ils avaient fouillé dans son passé, ramené au grand jour chaque migraine et chaque convulsion de sa petite enfance, chacune des longues séances de son adolescence chez le Dr Schmidt, neuropsychiatre, et le renvoi de l'école des pères. Heureusement, les experts médicaux ne les avaient pas suivis. Ils ne comprennent rien à rien les juges, les avocats. Ils vous font les hommes blancs ou noirs, victimes ou bourreaux, selon leur convenance ! De son héritage, Rudolf ne s'était servi qu'une seule fois : pour rejoindre Aton. Ute et lui avaient quitté Berlin quelques mois après la chute du Mur, symbole que le monde entier saluait comme celui du renouveau et qui avait pour lui une signification toute personnelle. Comme Ute voulait visiter Paris qu'elle ne connaissait pas, ils avaient passé quelques jours dans cet empire du vice et de la grisaille. Entre les arbres sans feuilles de ses berges, la Seine coulait, terne comme l'hiver; les voitures se suivaient comme des corbillards; les passants portaient le deuil et lui n'avait qu'une idée en tête : commencer sa nouvelle existence.

Hélas! on n'avait pu rester en Guadeloupe et son cœur ne cessait pas de le regretter. L'île lui avait semblé la terre bénie du Soleil. Chez le béké, à Maurepas, ses rayons effaçaient les ombres et sertissaient d'un cercle de feu les champs de canne, les bœufs dans les savanes et les cases perchées sur le rempart des falaises frangées d'anses et de clochetons. Cette terre-là, il le sentait, l'aurait fait renaître. Dans une autre vie, son être renouvelé serait sorti du ventre d'une malheureuse, qui n'aurait ni pauvres à assister, ni bonnes œuvres à accomplir, ni associations de bienfaisance à patronner. Il n'aurait jamais connu son père et celui-ci ne noircirait pas sa vie de son ombre, oppressante comme la croix du Golgotha. Mais la Guadeloupe n'avait été qu'une étape. Il avait fallu très vite partir pour la Colombie.

Oui, il avait les moyens d'aider Aton à se rendre en Égypte. Là-bas, à Karnak, à fouler un sol sacré, à vivre au voisinage de temples, de sanctuaires, de pylônes aux parois tapissées de rois et de dieux, la foi antique régénérerait la foi nouvelle. Déjà, lui avait dit Aton, une petite colonie groupait ses maisons en briques de terre crue au cœur d'une oasis de palmiers et de sycomores. Des frères venus de pays ennemis cultivaient côte à côte le coton, le blé ou le *bersim* *, aidés par des ânes, des buffles ou des dromadaires.

Cette fois-là cependant, il ne serait pas du voyage. Plus pour lui! Il l'avait compris, sur cette terre, il n'y a pas de Terre promise. Quel que soit l'endroit vers lequel nous voyageons, nous nous retrouvons iden-

---

* Sorte de trèfle.

tiques à nous-même avec nos peurs et nos fatalités. Il resterait là, à La Ceja, replié sur lui-même en attendant que la mort vienne à son secours. Peut-être finirait-il par avoir le courage de devancer son temps.

Il revint vers la maison et rejoignit Mandjet qui, comme chaque jour, avait battu la campagne en quête de nourriture. La pluie des dernières semaines avait chassé les essaims d'abeilles du fond du parc. On mangeait sans rien pour l'adoucir une bouillie faite avec le riz qu'avait apporté Enrique Sabogal. Rudolf aimait cette torture de la faim qui punissait son corps. Des vertiges le troublaient constamment. Deux jours plus tôt, il était tombé par terre et il était resté un long moment sans forces à regarder les voiles bleues et blanches du ciel se gonfler et tournoyer au-dessus de sa tête. Il espérait confusément qu'il ne se relèverait pas.

Car enfin à quoi lui servait de vivre?

Aton était assis sur la galerie. Il regarda Rudolf et, une fois de plus, celui-ci se crut deviné. Pas de doute, Aton le déchiffrait aussi aisément que les hiéroglyphes, images sacrées aux parois des tombeaux. Une fois de plus, il eut la tentation de tomber à ses pieds et de se confier à lui. Au lieu de cela, il murmura :

– Quand Aton a-t-Il la volonté de se rendre en Égypte?

Rudolf se trompait. Aton n'avait rien deviné. Ses yeux ne faisaient qu'explorer le néant de son existence. Le Soleil l'avait abandonné et lui avait enlevé Tiyi.

Pendant des jours, il avait souffert l'agonie à se demander son crime.

Il avait passé en revue tout le détail de son existence. Depuis sa naissance telle que Morena la lui avait racontée. Puis il avait revécu ses premiers entretiens avec le Soleil, encore naïfs et enfantins. Enfin, la Grande Révélation et le Pacte de l'âge adulte. Finalement, son intuition était devenue certitude et il avait compris. Il avait juré qu'en sa qualité d'être renouvelé d'Aton il n'aurait d'autre tâche que l'édification de Sa gloire. Or qu'était Tiyi depuis le moment où elle était entrée dans sa vie ? La chaleur et l'éclat de sa présence le bouleversaient et illuminaient son être bien davantage que les rayons du Soleil. Dans le secret de son âme, il lui murmurait des dévotions autrement plus enflammées que celle qu'il répétait matin et soir à sa divinité. Alors, le Soleil en avait pris ombrage et l'avait puni. Pourtant, il n'admettait pas son crime. Dieu doit-Il prendre ombrage de l'amour que l'on porte à l'une de Ses créatures ? En fin de compte, c'est à Lui-même que cet amour renvoie. Aimer Tiyi, c'était aimer le Soleil en Tiyi.

Ce despote ne l'avait pas compris.

Aton leva la tête vers Rudolf et demanda :

– Qu'est-ce que tu veux qu'Aton aille chercher en Égypte ?

Comme l'autre restait sans parole, il murmura :

– C'est ici que tout s'achève.

Puis il descendit dans le jardin.

Le Soleil s'était incliné devant la Lune qui tout doucement prenait possession du royaume du monde et lui imposait sa loi. Le silence de la journée était déjà remplacé par une insaisissable clameur. L'air se chargeait d'une noirceur qui s'infiltrait entre les branches des arbustes et les troncs des arbres, recou-

vrait les herbes au ras de la terre. L'espace de prières
se dessinait, cercle plus pâle entre les bananiers. C'est
là qu'Aton s'agenouilla. Il ne se repentait pas. Il
trouvait sa punition injuste et cruelle et, au lieu de
s'abîmer en prières, il s'abîmait plus passionnément
dans le souvenir de Tiyi. Selon Enrique Sabogal qui
donnait régulièrement de ses nouvelles à Mandjet, les
médecins avaient eu très peur. A plusieurs reprises,
son esprit avait quitté son corps pour voyager dans
des régions de tourmentes et de ténèbres. Tantôt, elle
paraissait aussi tranquille qu'une morte. Tantôt,
aussi agitée qu'une démente. Puis lentement son
esprit était revenu l'habiter et l'on reprenait espoir.
Aton savait qu'il ne la reverrait jamais de ses yeux de
mortel et qu'elle céderait sûrement aux pressions
amoureuses d'Enrique. Pourtant, il n'éprouvait
aucune jalousie. Que lui donnerait Enrique ? Un peu,
beaucoup de plaisir et c'est tout. S'il se désolait, c'est
en pensant qu'elle ne garderait pas mémoire de ces
moments de communion où, transcendant la matière
vile de leurs corps, leurs deux esprits n'en avaient fait
qu'un.

Quand il enserrait ses mains dans les siennes et la
faisait répéter le Grand Hymne à Aton :

Tu es loin, mais tes Rayons sont sur la Terre
Tu es sur le visage des hommes, mais
Ta marche n'est pas visible.

Quand il s'asseyait tout contre elle et l'instruisait
de la foi d'autrefois. Quand, par ses paroles, il tentait
d'allumer dans son âme le désir d'une autre existence.

Il n'avait pas bien traité Tiyi, le monde ! Il aurait
dû être un écrin pour sa beauté et ses dons. Or, le
bijou en diamant qu'elle était n'avait pas été plus

considéré qu'un colifichet en chrysocale au cou d'une dame-gabrielle. Les foules auraient dû s'incliner devant elle, transportées par la magie de son timbre. Au lieu de cela, elle avait joué *Mamie noire* dans des comédies de boulevard.

Il entendit la voix de Mandjet, respectueuse derrière son dos :

– Aton, il est temps de penser à Te nourrir.

Il ne bougea pas, car il attendait l'ombre de minuit. Son plan était prêt. Il le mettrait à exécution cette nuit-même. Pourquoi avait-il tardé si longtemps ? C'est qu'aux derniers moments, l'esprit atermoie. Il atermoie et questionne : « Est-ce vrai qu'il ne s'agit que de pousser une porte pour glisser dans un univers d'harmonie et de paix ? En sort-on à l'heure fixée sous une forme nouvelle ? Et si les terrifiants mensonges appris et répétés en tremblant dans l'enfance étaient la vérité ? Le feu qui rôtit, la géhenne ? »

Il avait enfin vaincu toutes ses peurs.

Au-dessus de sa tête, il entendait la course du vent dans le grand charivari des étoiles. Une paix profonde s'était installée en lui. Il savait ce qu'il voulait : en finir pour de bon. Sa mort ne serait point passagère. Il ne voulait pas que sa barque navigue sur les eaux souterraines jusqu'au rivage planté de lotus, de bleuets et de papyrus géants. Dans le bruit des sistres, il ne voulait pas recevoir ses deux âmes, celle de sa dépouille passée et celle de son éternité. Pour cela, il allait détruire son corps. Privée de son support terrestre, son âme ne pourrait pas se réveiller et il ne vivrait jamais plus le drame de l'angoisse et de la solitude qu'il n'avait que trop connu. Il ne serait plus choisi sans savoir pourquoi, abandonné de même. Par un dieu comme par une femme.

Depuis qu'il avait pris sa décision, il avait longuement pensé à celles qu'il se condamnait à ne jamais revoir, puisque, pour lui, il n'y aurait pas d'au-delà. Outre Tiyi, toujours présente dans son esprit, il avait songé à Morena, sa mère. Elle était passée dans l'invisible, silencieusement, comme elle avait vécu sur la terre, et il n'avait jamais vu la tombe qui l'abritait. Quand il était enfant, elle n'avait pas su le défendre de la scélératesse de Roberto, son beau-père. Elle l'avait sacrifié à la paix de son ménage, le laissant prendre des coups sans protester. Cela n'importait pas : elle était sa mère, la seule qu'il aurait jamais. Depuis longtemps, il lui avait pardonné. Il avait aussi pensé à ses enfants. Méritaton qu'on lui avait enlevée et qui allait vivre dans le monde, ce monde qui ne sait que blesser, détruire. A l'école, comme il était toujours absorbé par son dieu, les autres élèves l'avaient méchamment surnommé l'*ababa* et, lui lançant des roches, le suivaient en cortège jusqu'à sa porte. Tout le quartier plaignait la pauvre Morena d'avoir, en plus de ses ennuis, un demeuré sur les bras. Mais le regret le prenait surtout en songeant à Néfertiti, sa première-née, tellement chère à son cœur, même si ce n'était qu'une fille. S'il ne lui avait jamais signifié ses sentiments, c'est que, dans l'amour comme la joie ou la douleur, sa langue était lourde, sa parole embarrassée. Néfertiti, chair divine, qui avait si prématurément rejoint le Globe et qui lui échappait.

Mandjet n'avait pas permis aux policiers de l'approcher. Assis à sa place habituelle derrière les bananiers, il les avait vus des jours durant fureter à travers le parc, monter et descendre les escaliers de la maison, interroger tous les membres de la colonie, même Méritaton. Il avait appris qu'on l'avait trouvée noyée dans la baie de Taganga. On disait qu'elle avait été probablement assassinée et un mystère entourait cette mort. Un mystère ? La mort n'est-elle pas toujours un mystère pour le faible esprit des humains ?

On en ferait des réflexions sur sa fin, sur le petit tas de cendres qu'il serait bientôt ! On se perdrait en interrogations et en suppositions, sans jamais comprendre la portée de son geste. Irrévocable. Pour lui, les mandragores ne fleuriraient pas. Plus jamais de sortie au jour.

Peu à peu, la nuit referma sa cape de noirceur. A la couleur dense du ciel, Aton sut qu'il était passé minuit et se dirigea vers la maison. Un *chaltouné* tremblotant dessinait des ombres sur sa façade à peine visible dans la clarté d'un premier quartier de Lune, vautré là-haut et indifférent à ce qui se préparait. Pas un bruit. Mandjet et Hapou, les derniers des derniers fidèles, devaient dormir, l'un et l'autre épuisés par les travaux de la journée.

Furtif, léger, presque aérien, Aton se glissa dans la cuisine et prit sous l'évier un bidon d'essence aux trois quarts plein. Au temps où il s'en souciait encore, Hapou s'en servait pour tondre le gazon. Du même pas léger, Aton revint vers sa chambre. Depuis le départ de Tiyi, il n'y entrait plus sans un serrement de cœur. Il lui semblait que le souvenir de l'aimée, tenace comme l'odeur de l'ylang-ylang après la pluie, s'accrochait à chaque détail de l'ameublement, qu'à tout moment elle allait surgir, tendre et contrite, devant lui. Il eut un dernier

moment de faiblesse en se rappelant les jours
d'autrefois et son amour, usé en pure perte, qui
n'avait servi à rien puisqu'elle l'avait quitté. Cependant sa main ne trembla pas quand il arrosa soigneusement le plancher de la pièce, les calebasses de
colliers posées par terre, les tabourets de bois sculpté,
les tentures suspendues aux cloisons, la paillasse et
la couverture couleur de soufre qu'il avait tissée lui-
même. L'odeur de l'essence, âcre, entêtante, lui sou-
leva le cœur.

Il sortit à nouveau et alla décrocher le *chaltouné*
qui fumait dans le vent de la nuit. Il se garda bien
de jeter un coup d'œil au mur de soie de la noirceur
comme de prêter attention au vacarme des insectes
nocturnes qui semblaient l'interpeller, et se dépêcha
de rentrer à l'intérieur de la pièce. Alors, tenant le
chaltouné d'une main, il s'allongea sur la paillasse
mouillée, bien droit, les pieds joints comme un
gisant, la tête reposant sur l'oreiller trempé et ferma
les yeux. Son cœur battit plus fort quand, ferme-
ment, il jeta la torche au loin.

Le feu ne se fit pas prier et dans un grand *balan*,
la pièce s'embrasa.

Le feu attrapa Mandjet alors qu'elle se tournait et
se retournait sur sa couche, l'esprit tout plein du
souci de Mesketet. Elle vit sa jupe de velours rouge
virevolter et festonner les montants de la porte.

Dans un premier mouvement de terreur, elle se
leva.

Cela lui rappelait de terribles souvenirs. Quand
elle était petite fille sur le canal Vatable, à chaque
saison de carême, des pâtés entiers de cases en bois

du Nord flambaient comme campêche. Un vent sec attisait les incendies. Des malheureux, les yeux en pleurs, risquaient de perdre la vie pour sauver un lit, un matelas, une commode en chêne ou en mahogany, une table à pieds torsadés, des hardes, tout ce qu'ils possédaient sur cette terre. Il fallait les haler du feu qui déjà grinçait des dents autour d'eux. Quand Esnard Boisfer se couchait sur elle de tout son poids, elle rêvait que le feu, après avoir dévoré les cases, avait pris chez elle. De sa langue de serpent, il léchait déjà les rideaux des fenêtres, les trois poutres du plafond et le bois du lit. Esnard, absorbé par le plaisir qu'il prenait, n'entendait rien, ne se rendait compte de rien jusqu'au moment où le feu le dévorait tout entier. Alors, délivrée à jamais, couverte de ses cendres, elle se relevait et recommençait son existence.

Elle courut jusqu'à la fenêtre qui béait sur la nuit, noire comme ce qui lui restait de vie à vivre et s'arrêta. De quoi avait-elle peur ? Le visible que nous connaissons n'est-il pas plus effrayant que l'invisible que nous ignorons ? Pourrait-elle souffrir dans l'au-delà plus qu'elle n'avait déjà souffert sur la terre ?

Toutes ces années devant elle. Sans Mesketet qui, lui, perdrait ses jours dans une prison de Bogotá. Sans enfant pour soutenir son vieil âge. Sans amis. Sans foyer. Sans même un pays où planter une case et faire pousser un jardin.

Joyeuses, les hautes flammes orangées dansaient vers elle, faisant bombance du plancher et des cloisons pourris par les poux de bois et les insectes. De grands pans de la pièce s'effondraient en craquant et pétillant. Mandjet se sentit les yeux en eau, car, déraisonnable, l'amour de la vie s'accroche au cœur de chacun d'entre nous. Et puis elle se rappela les enseignements d'Aton et redit tout bas la profession de foi :

Rê de l'horizon qui se réjouit dans l'horizon en son nom de Rê le Père qui se manifeste dans Aton.

Qu'est-ce que mourir ? Ce n'est que se préparer à revenir au jour. Elle s'agenouilla et, tête baissée, elle attendit le bon vouloir du feu.

Comme chaque nuit, Rudolf revoyait l'image de Néfertiti à sa première visite à la colonie.

Il descendait de l'avion tellement fatigué de soutenir Ute pendue à son bras. A Berlin, elle lui avait fait illusion avec sa figure et son corps pareil à ceux des enfants, comme il les aimait. Presque pas de chair sur une ossature d'oiseau. Il ne pouvait pas prévoir qu'elle allait lui remplir la tête de récriminations d'épouse acariâtre et qu'il n'aurait plus qu'une seule idée : la renvoyer là d'où elle était venue.

Alors Néfertiti était apparue et du premier regard l'avait enchaîné à son char. Il se rappelait aussi la première fois qu'ils avaient fait l'amour. Elle le tenait suspendu au bout du fil de soie de ses yeux et il restait à distance, honteux de l'instrument qui lui poussait et avec lequel il faudrait la sacrifier. Hésitant, il avait serré son poignet entre ses mains, puis son désir l'avait emporté. La vie avait commencé, bonne à vivre, hier mêlé à aujourd'hui pour la promesse de demain.

Les cris des chauves-souris pressant dans l'effroi

leurs corps velus au-dessus de sa tête attirèrent son attention. En même temps, ses narines respirèrent l'odeur de poivre du feu. Puis, il entendit le bruit de son grand galop dans la maison tandis qu'il courait d'un palier à un autre, grimpait les escaliers, se cognait, renversait les portes et les cloisons des chambres. Il ouvrit les yeux et autour de lui, il vit le galetas tout festonné de rouge.

Alors, son cœur bondit de reconnaissance dans sa poitrine. Quelle main bienfaisante avait allumé l'incendie ?

24

Enrique embrassa une nouvelle fois la joue de Méritaton, ronde et lisse comme une pomme de France sous sa bouche. Comme tout un chacun dans sa famille et même, croyait-il, cette petite brute d'Alvaro qui la tourmentait, il s'était attaché à cette fillette, proie du malheur sans conscience. Il avait fallu tout lui apprendre : à porter des vêtements et surtout à garder des souliers à ses pieds, à se brosser les dents après les repas, à manier fourchette et couteau à table, à se servir d'un téléphone, à regarder les images de la télévision ; elle faisait face à ces nouvelles expériences avec calme et une grande dignité. Elle lui rendit son baiser avec effusion, puis lui demanda :

— Et ma maman ?

Il l'embrassa à nouveau et se fit rassurant :

— Tu la reverras bientôt, si Dieu veut!

Aussitôt, il regretta sa maladresse. Dieu? De quel Dieu lui parlait-il ? De ce dieu Soleil que son père prétendait incarner et qu'il lui avait appris à adorer? La famille qu'elle allait retrouver en Guadeloupe aurait fort à faire de lui laver la tête de toutes ces bêtises et de la transformer en bonne chrétienne. Sa tâche serait plus ardue que celle de Pygmalion! Y mettrait-elle assez de doigté et surtout de tendresse? Comment était-elle, cette famille? Tiyi ne lui avait jamais parlé d'elle-même et, par conséquent, ne lui avait jamais soufflé mot des Lameynard avant de lui chuchoter, vaincue, le nom d'un petit frère de sa mère auquel elle entendait confier le seul être qui lui restait sur terre. Dès lors, Enrique s'était à maintes reprises entretenu au téléphone avec une quantité de Lameynard, grands-oncles, grand-tantes, tantes, oncles, cousins et cousines issus de germains, neveux, nièces, parrains, marraines, dont les voix anxieuses, empressées n'en résonnaient pas moins de subtils accents de triomphe. Car ils l'espéraient depuis tant de temps cet appel au secours, cet aveu de défaite de Tiyi qu'ils n'appelaient pas autrement que Tanya. Depuis tant de temps qu'ils désespéraient de l'entendre! Et voilà que cet appel s'élevait enfin après toutes ces années pour conforter leur bonne conscience, leur conviction de marcher comme il le fallait dans le chemin de l'existence. Enrique avait eu toutes les peines du monde à en empêcher deux ou trois de débarquer à Santa Marta pour prendre légitimement possession de Méritaton et la frapper du sceau de la famille retrouvée. A leurs timbres de voix, à leurs questions, il les imaginait sans peine: satisfaits d'eux-mêmes, pareils aux nantis de Santa Marta pour qui la triste fin du Loco et de ses fidèles signifiait que leur choix de vie était le seul raisonnable.

Méritaton insista:

– Elle viendra auprès de moi en Guadeloupe?

Il sourit:

– Ou peut-être reviendras-tu à Santa Marta. Tu aimerais revenir à Santa Marta?

Immédiatement, les yeux de l'enfant s'emplirent de larmes et elle fit dans un souffle:

– Non !

Pourtant Santa Marta abritait les restes de sa sœur, les cendres de son père. C'était l'endroit où elle avait été initiée à la fois à la maladie, à la souffrance, à la cruauté et à la mort. Où qu'elle aille, quoi qu'elle fasse, elle ne pourrait jamais rejeter ces jours de sa mémoire. Enrique se décida à l'embrasser une dernière fois et à la laisser aux mains de l'hôtesse. Il avait peine à retenir ses larmes, car il lui semblait qu'il abandonnait Méritaton. Quel serait son avenir ? Depuis quelque temps, il avait l'impression qu'elle changeait. L'incertitude de son lendemain la tourmentait, creusant des cernes autour de ses yeux, la mûrissant avant l'heure. Le cœur gros d'angoisse, il retourna au hall de départ. A sa vue, tous ceux qui attendaient là en se déboitant le cou de curiosité se précipitèrent :

– Dis-moi ! Où est l'enfant du Loco ? Sainte Vierge Marie, on n'a jamais vu pareille chose !

Non ! Santa Marta n'était pas habituée aux drames de cette nature. Ses quotidiens et ses magazines ne faisaient le récit que de faits divers très ordinaires. Crimes passionnels. Viols. Vols. Morts par overdose. La colonie du nouveau monde avait offert aux imaginations toutes les fièvres qu'elles pouvaient souhaiter.

Pitié. Horreur. Réprobation. Mépris. Aussi, journalistes et curieux n'avaient-ils pas laissé passer pareil régal. Ils s'étaient précipités à La Ceja, caméras au poing pour photographier les ruines fumantes de la maison, nacelle éventrée au milieu du parc. D'ici quelques semaines, la férocité des parasites et des plantes grimpantes la réduirait menu en poussière et il ne resterait plus sous l'amas de végétation que le souvenir d'une histoire très édifiante que l'on raconterait aux enfants qui n'obéissent pas : « C'est là que vécut et mourut un fou qui se prenait pour Dieu et le Soleil... »

Journalistes et curieux avaient envahi le cimetière sans histoire de Santa Marta à la recherche du caveau des Sabogal où se cachait le cercueil de Néfertiti. Sans vergogne, ils avaient inventé toutes les ruses pour essayer de rencontrer Tiyi sur son lit d'hôpital et on avait dû multiplier les gardes de jour comme de nuit. Quant à Enrique, témoin privilégié du drame, des enragés faisaient le siège de sa maison ou de sa pharmacie, en brandissant des ordonnances factices. Depuis le bon matin, ils se postaient sur le trottoir de l'avenida Campo Serrano en braquant sur lui des téléobjectifs. Ou bien ils essayaient de pénétrer dans son bureau à la mairie aux heures de permanence pour lui poser les questions les plus insensées. Parfois, Enrique était tenté de suivre les conseils de son fils Fernando et d'aller se faire voir ailleurs. Mais où ? Le monde était un sinistre théâtre. L'Afrique s'amarrait dans le sous-développement. L'Europe était incendiée comme une torche. L'Empire américain déclinait. Le choléra fauchait aux portes de la Colombie. Et puis pouvait-il s'éloigner de Tiyi qu'il visitait quotidiennement ?

Toujours avares de paroles, les médecins hochaient la tête mais, à travers leur jargon, se déchiffrait l'espoir :

– Ce sera long ! Des rechutes ! Des soins constants ! Il vous faudra beaucoup d'amour et de patience !

Amour ? Patience ? Il en avait à revendre !

D'une bourrade, il écarta deux journalistes, leur micro à la main. Mais il ne se méfia pas d'un troisième *costeño*, les mains dans les poches d'un costume de toile brune. C'était le correspondant pour la côte caraïbe d'un journal de Bogotá. Quelque chose dans la mine posée de cet homme et son regard compatissant inspirèrent confiance à Enrique. Ils se rendirent à La Real

Parrilla sur le *malecón* *. En fait, c'est là que tout avait
commencé quelques mois plus tôt quand il était venu
s'entretenir avec Schultz de la santé de Tiyi. Et Schultz
était là, comme chaque jour à la même heure, à la
même table devant sa bière glacée. Pour certains d'entre
nous, la vie va toujours le même train.

Le *costeño* questionna :

— C'était votre idée, n'est-ce pas, de les inviter ici ?

Enrique soupira profondément :

— La mienne et celle de deux autres amis ! Moi, je ne
m'en repentirai jamais assez !

Il n'avait pas songé à prévenir Henri Gabrillot et ne
pouvait prévoir ses réactions. Mais José Rosario, quant
à lui, tout juste revenu du Japon, trouvait là le sujet
d'un livre et, l'esprit en émoi, s'apprêtait à venir à
Santa Marta pour entamer des recherches. Bienheureux les écrivains qui font de tout matière roma-
nesque ! Le reste des humains ne sait qu'endurer !

Le journaliste haussa les épaules :

— Vous repentir ? Et de quoi ? Cet individu a fait
beaucoup de mal autour de lui. A sa femme. A ses
enfants. A tous ceux qui ont cru en lui. Il n'a eu que la
fin qu'il méritait !

Comme Enrique aurait aimé être capable, lui aussi,
de juger, de trancher ! De décerner des blâmes, des
satisfecit, pareil à un maître d'école qui distribue
blâmes et bons points. Au lieu de cela, son esprit ne
pouvait que se perdre en interrogations et en justifica-
tions. A toute heure du jour et de la nuit, il se torturait :

« Si nous n'avions pas invité Aton et les siens à jouir
de notre hospitalité, peut-être, au lieu d'échouer ici,
seraient-ils parvenus à se rendre en Égypte dans la
terre de leur foi ?

---

* Boulevard du front de mer.

« Si le conseil municipal de Santa Marta n'avait pas signé cet arrêté d'expulsion déshonorant, peut-être les derniers membres de la colonie n'auraient-ils pas eu pareil geste de désespoir ? »

Car si les policiers avaient retenu l'hypothèse d'un accident prévisible dans une baraque aussi vétuste et éclairée avec des torches (en vérité, c'était mystère qu'un incendie ne se soit pas déclaré plus tôt !), Enrique savait par intuition qu'il n'en était rien. Il se rappelait le visage de Mandjet et celui de Rudolf lors de sa dernière visite à La Ceja. Aux abois. Au bout de leur course. Ils s'étaient donné la mort ! Suicide collectif ! Et qui les avait condamnés ? Lui, lui ! Par sa faiblesse et son inconséquence. Il n'avait pas su les défendre, les protéger. Il n'y avait pas d'autre coupable que lui !

Enrique commanda un troisième verre de Ron Medellin. Il se reprochait de trop boire en ce moment et, surtout, de trop courir les filles. Il avait définitivement chassé de sa maison la *mulata* Lucrécia qui se croyait en pays conquis et prétendait commander à tout le monde, aux servantes et aux enfants, même à Fernando qui depuis longtemps n'écoutait plus personne. Chaque soir, il allait chercher une bonne fortune parmi les jeunesses à bouche fardée qui montaient et descendaient l'allée du front de mer, en jetant des regards par en bas aux hommes. Quand celles-ci le quittaient, avant que résonnent les cloches de la première messe, vanné, car ces cabrioles n'étaient plus de son âge, il s'agenouillait au pied de son lit et récitait deux dizaines de chapelet pour demander pardon à Tiyi. Elle ne pouvait pas lui en vouloir. Elle savait bien que ce plaisir-là ne signifiait rien. Il n'était qu'un homme. Faute d'étreindre son corps bien-aimé, il se rabattait sur ces filles grossières. Combien de temps encore la volonté de

Dieu ferait-elle durer son calvaire? Pourtant, il ne se rebellait pas. Il joignait les mains et baissait bas la tête, acceptant le châtiment qu'il avait mérité.

Méritaton prenait l'avion pour la première fois et l'excitation l'emportait sur son grand chagrin de quitter sa mère. Quand, où la reverrait-elle? Elle avait aussi très peur. Elle savait que voyager en avion lui était interdit, à elle comme aux siens. Pour la punir d'avoir enfreint son commandement et d'être montée le défier dans son royaume, le double de son père n'allait-il pas la précipiter dans la mer que l'on apercevait là-bas en dessous, bleue, mouchetée de blanc, toujours en mouvement? Où était son père? Pourquoi avait-il détruit l'enveloppe mortelle de son corps? Ainsi, il ne pourrait jamais se réunir à son double. Alors, il errait peut-être, pareil à une bête méchante dans l'immensité. Méritaton frissonna.

Elle ne cessait de se demander ce qui l'attendait à la Guadeloupe. Sa mère avait donc une famille. Une femme l'avait mise au monde. Elle avait dormi neuf mois dans la station aquatique d'un ventre. Elle avait tété à la mamelle, mouillé et sali ses vêtements. Méritaton s'était toujours imaginé que, d'une manière différente d'Aton, elle appartenait, elle aussi, à une espèce peu ordinaire. Sûrement, elle n'avait jamais été un bébé qui geint sans raison. Elle avait éclos comme une fleur de lotus, sereine au bout de sa tige, à la suite d'une action mystérieuse et magique. Et puis, elle s'était unie à Aton pour illuminer le monde. Aussi, Méritaton avait-elle eu beaucoup de peine à croire Enrique quand il lui avait affirmé qu'en Guadeloupe des gens partageaient le sang de sa mère et se disaient liés à elle. Elle

l'avait accablé de questions. Qui étaient-ils? Où habi-
taient-ils? Pourquoi ne les avait-elle jamais vus ni à
Matalpas, ni à Maurepas? Étaient-ils, eux aussi, des
adeptes du Soleil? Ou bien adoraient-ils de faux
dieux? Enrique avait été incapable de lui fournir des
réponses et son embarras avait fait naître bien des questions dans son esprit. Cet enseignement religieux
qu'elle avait reçu pendant tant d'années sans lui prêter
plus d'attention qu'à une musique ennuyeuse et trop
familière, il s'agissait à présent de le comprendre et de
l'approfondir. Qui étaient réellement Aton et Tiyi?
Aton était-il vraiment chargé d'une mission? Pourquoi
l'avait-il trahie en fin de compte? Qui était-elle, elle-
même? Avec son aînée, elle avait grandi dans l'idée
qu'elle était pétrie d'une matière précieuse, qu'elle était
sortie au jour pour être servie et adulée, qu'elle
occupait une place à part dans le monde. Les railleries
d'Alvaro avaient apporté une brèche dans le mur de
cette certitude qui l'entourait depuis sa naissance et elle
ne savait plus que penser.

Un nuage s'arrêta un moment à la hauteur du hublot
comme pour mieux la fixer. Inquiète, Méritaton s'agita
de droite et de gauche, s'irritant contre cette courroie
qui la ceinturait. Dans l'appareil, tous étaient calmes.
Certains passagers s'étaient installés confortablement
dans leurs fauteuils et dormaient, les traits du visage
affaissés. D'autres lisaient. De l'autre côté du couloir,
une dame âgée lui sourit et lui tendit un bonbon. Elle
faillit refuser, puis serra dans sa paume le petit rec-
tangle habillé de papier vert. Ainsi, elle allait vivre
parmi les humains. Tiyi comme Aton lui avaient parlé
de leur cruauté qui ne connaît pas de limites. Parvien-
drait-elle à s'entendre avec eux?

Elle regarda avec mépris l'album que l'hôtesse lui

avait donné à colorier. Un mouton, un papillon, une fleur, une maison, un coquillage étaient tracés d'une façon simpliste. Elle dessinait beaucoup mieux que cela. Avec des fusains, sur de grandes feuilles de papier qu'Enrique lui achetait, elle avait mille fois reproduit la figure de sa mère, de sa sœur surtout.

Néfertiti couronnée de fleurs en boutons. Néfertiti appuyant sa joue douce contre la douceur des ailes d'un oiseau. Néfertiti parée de ces pectoraux et de ces ornements d'oreilles qu'elle fabriquait avec des graines sauvages. Néfertiti boudant. Suivant son imagination, elle l'avait aussi dessinée morte, naviguant, dérivant au fond de la *ciénaga*. Ou bien sur le point d'être mise au tombeau, enveloppée d'un linceul rouge et le buste ceint d'une guirlande de feuilles d'olivier, de saule et de pétales de lotus bleu.

Enrique n'avait pas aimé qu'elle la dessine ainsi. Il lui avait demandé de ne plus recommencer et de garder seulement en mémoire les images de sa sœur vivante. Malgré ses promesses, elle n'avait pas tenu parole et, chaque jour, elle embellissait ces portraits qui étaient ses préférés.

Comme le cœur chemine de façon singulière! Les premiers temps, elle n'éprouvait pas beaucoup de chagrin, en pensant à la mort de Néfertiti. Les circonstances mystérieuses qui l'entouraient, les allées et venues des policiers, leurs questions, tout cela éveillait en elle une curiosité qui masquait ses véritables sentiments. On aurait pu croire que c'était un fameux tour que Néfertiti avait joué à tous pour s'amuser et qu'elle réapparaîtrait sans trop tarder dans un éclat de rire. Au fur et à mesure que les jours passaient, cependant, la conscience d'une perte irréparable l'avait envahie et le souvenir de sa sœur n'avait plus laissé son esprit en repos. La journée, elle croyait la voir danser et tournoyer, insaisissable, dans les rayons du Soleil. Ou alors, elle s'imaginait entendre sa voix. La nuit, quand la maison d'Enrique était endormie, quand même Marta-la-couche-tard avait fini de remuer ses casseroles, en bas, dans la cuisine, Néfertiti poussait la porte de sa chambre doucement, doucement, et venait s'étendre sur le lit à côté d'elle. Elle posait sa tête légère comme celle d'un oiseau au creux de sa poitrine, et Méritaton avec des baisers soufflait des questions au creux de son oreille. Elle lui demandait où elle habitait à présent ; si l'au-delà était aussi beau que leur père l'avait promis ; si des orchestres invisibles y jouaient les plus harmonieuses des musiques ; si des serviteurs, invisibles eux aussi, y faisaient brûler des parfums. Elle voulait aussi savoir si Mesketet lui avait fait des méchancetés qui avaient causé sa mort. Néfertiti répondait par des sons caressants, mais incompréhensibles, et Méritaton s'apercevait que sa sœur parlait un nouveau langage auquel elle devrait s'initier.

Quand le départ pour la Guadeloupe avait été décidé, Néfertiti ne l'avait plus quittée. C'était comme si elle ne voulait pas que sa cadette enjambe l'eau et, dans la solitude, affronte des étrangers. Désormais Méritaton la portait enfermée au-dedans de son corps, comme une femme son fœtus, respirant du même souffle, le cœur battant au même rythme. Elles étaient unies, mêlées l'une à l'autre. Elles voyageaient ensemble vers l'inconnu. Leur dialogue de vivante à morte ne s'arrêterait pas. Elles ne se sépareraient jamais.

D'autres nuages se pressèrent soudain contre le hublot. Méritaton se rencogna dans son siège tandis que des vagues d'une blancheur cotonneuse et tourmentée semblaient se précipiter à l'assaut de l'ovale vitré qui donnait sur l'empire du Soleil. En même temps, l'appareil fut agité dans tous les sens comme s'il était secoué par une main furieuse.

Méritaton ne se rappela pas une seule prière à réciter et, le cœur muet d'effroi, elle s'agrippa à son siège.

Était-ce la colère du double d'Aton qui éclatait contre elle ?

Cet ouvrage a été réalisé par la
SOCIÉTÉ NOUVELLE FIRMIN-DIDOT
Mesnil-sur-l'Estrée
pour le compte des Éditions Robert Laffont
en août 1993

Imprimé en France
Dépôt légal : août 1993
N° d'édition : 34796 – N° d'impression : 23975